Santé
prévenir

SOLANGE LAURIN, N.D.

Distribution: Messageries de Presse Benjamin
101, rue Henry-Bessemer
Bois-des-Fillion (Québec) J6Z 4S9

Santé prévenir

SOLANGE LAURIN, N.D.

ÉDITIONS LA SEMAINE

LES ÉDITIONS LA SEMAINE
2050, rue de Bleury, bureau 500
Montréal (Québec) H3A 2J5

Éditeur: Claude J. Charron
Éditeur délégué: Claude Leclerc
Directrice des éditions: Annie Tonneau
Directeur artistique: Éric Béland
Coordonnatrice aux éditions: Françoise Bouchard
Concepteur: Dominic Bellemare

Recherchiste: Roger Lambert

Directeur des opérations: Réal Paiement
Superviseure de la production: Lisette Brodeur
Assistants-contremaîtres: Valérie Gariépy, Joanie Pellerin
Infographiste: Michel Malouin
Réviseurs-correcteurs: Corinne de Vailly, Sara-Nadine Lanouette,
                         Roger Lambert
Scanneristes: Patrick Forgues, Éric Lépine, Estelle Siguret

Illustrations: Lyse-Anne Roy

Otman et Varano, Traiteurs: 514-217-5514
Samir et Isabelle Saleb globe-trotter: 450-361-9426

© Charron Éditeur Inc.
Dépôt légal: Quatrième trimestre 2007
Bibliothèque et Archives nationales du Québec
Bibliothèque nationale du Canada
ISBN: 978-2-923501-14-7

*Je dédie ce livre à tous les fidèles lecteurs
de mes chroniques «Santé Prévenir» publiées
dans le magazine* La Semaine.

*C'est en partie pour faire suite à votre requête que
nous avons décidé de rassembler la première année de
publication de ces chroniques dans ce livre.*

*Je le dédie également à tous ceux, de plus en plus
nombreux, qui comprennent l'importance de prendre
leurs responsabilités quant à leur santé.*

*Cet ouvrage se veut un outil approprié à cet égard,
car il est le fruit de mes connaissances et de mes
propres expériences dans cette voie.*

AVANT-PROPOS

Un événement particulier a marqué ma petite en-
fance, dans une ferme où mes parents faisaient tout:
agriculture, jardinage, élevage des animaux de ferme,
boucherie lorsque c'était le temps de nourrir la famille.

Ma mère dit un jour, avec un air stressé inha-
bituel, à la petite fille de cinq ou six ans que j'étais:
«Aujourd'hui, je ne veux pas que tu viennes à la
grange.» Il ne fallait surtout pas me signaler qu'un
événement particulier aurait lieu sans que j'y sois,
car les distractions étaient rares dans les fermes
d'autrefois, sans électricité, sans téléphone, sans
radio et encore moins de télévision qui n'en était
encore qu'à ses balbutiements, et seulement pour les
plus nantis des villes et ceux qui avaient l'électricité.

Je me suis donc glissée doucement dans ce lieu
temporairement interdit d'accès et j'ai vite compris
pourquoi. Ma mère voulait éviter d'ébranler ma
grande sensibilité par le spectacle de la boucherie
d'un porc. Mon père entrait le couteau dans le cou
de l'animal pendant que ma mère le tenait fermement au-dessus d'un récipient afin de recueillir
le précieux sang destiné à être transformé en bou-
din. Mais surtout, ce sont les cris de désespoir et de
souffrance de cet animal qui me sont entrés dans
l'âme et le cœur. Horrifiée par ce spectacle, quelque
chose s'est formé en moi qui disait: «Un jour, je ne
mangerai plus de viande.» Le mot «végétarisme»
ne faisait pas partie du vocabulaire chez nous, et
l'idée de survivre sans viande était impensable, car
celle-ci faisait partie de chaque repas, que ce soit le
déjeuner, le dîner ou le souper, et même en collation. Encore aujourd'hui, chaque fois que je vois de
la viande, cette scène me revient en mémoire avec
ce qui s'y est imprimé. J'ai été marquée au fer
rouge, je pense bien.

Comprenez-moi bien, je ne porte aucun jugement sur ceux qui consomment de la viande. Plein
de gens que j'adore autour de moi en consomment
sans que cela me cause problème ou que je cherche

à les «convertir». Je ne fais que vous relater mon histoire personnelle.

Beaucoup plus tard, dans la vingtaine, cette idée est devenue de plus en plus forte en moi, et je me suis mise à lire des livres sur le végétarisme, et mes livres de chevet sont vite devenus des livres de recettes qui parlaient de pâtés végétaux, de pâtés chinois faits avec des légumineuses à la place du steak haché, de salades, et tout cela m'attirait comme un aimant. Je ne connaissais aucun resto végétarien et ne savais donc pas ce que ça pouvait bien goûter.

Je me rappelle le premier repas végétarien que j'ai fait à ma famille, c'est-à-dire mon mari et mes deux jeunes enfants de 8 et 10 ans environ, tous habitués au steak haché, à la saucisse, aux patates pilées, au poulet, etc. J'ai donc fait une recette de pâté végétal tirée du livre de Danièle Starenkyj: *Le bonheur du végétarisme*. Vous ne pouvez imaginer toute la satisfaction et tout l'amour que j'ai mis dans ce pâté. Je le regardais cuire à travers la vitre du four et j'avais la sensation de me préparer à offrir un trésor à ceux que j'aimais et de qui je prenais soin. Lorsque tout le monde a été autour de la table, je l'ai déposé au milieu avec la conscience qu'un temps nouveau naissait dans notre famille. Je crois que tout le monde a senti à quel point il y avait une solennité, un rêve réalisé dans ce simple pâté parce que tous, bien qu'un peu déconcertés par cet étrange plat, se sont retenus de montrer leur déception.

La santé par l'alimentation est devenue plus tard une passion, sinon une obsession pour moi. Combien de fois ai-je dit par la suite à l'une de mes filles: «Ça, c'est pas bon pour la santé.» Je me suis intéressée un temps à la macrobiotique, et mon compagnon de vie a même suivi des cours de cuisine avec moi. J'ai aussi expérimenté le régime ayurvédique; cependant, toutes ces approches ne m'ont pas satisfaite longtemps, car je sentais qu'il y avait plus à connaître.

Il faut dire que, malgré le fait que je ne mangeais plus de viande, je ne me nourrissais pas très bien. On peut être végétarien et se gaver de muffins toute la journée. Végétarisme n'égale pas nécessairement santé. J'avais la terrible habitude de grignoter souvent et de ne pas manger de vrais repas lorsque c'était le temps. Mon système digestif a fini par se détraquer, et mon état de santé a eu des ratés. Mon corps a commencé à faire beaucoup d'acidité, avec toutes les conséquences qui en découlent. N'importe quel naturopathe vous dira que l'acidité est le foyer de toutes les maladies.

C'est à ce moment que j'ai entendu parler de l'alimentation vivante, de germinations, de végétaux crus et de toutes les merveilles du règne végétal. J'ai suivi un merveilleux cours de naturopathie afin d'aller chercher la connaissance et j'ai adoré chaque minute de cet enseignement. C'était comme si j'avais attendu cela toute ma vie. Un monde nouveau s'est ouvert devant moi.

Cette école était faite sur mesure pour moi, car sa philosophie était la même que la mienne. L'enseignement a porté, entre autres, sur les bienfaits de l'alimentation végétale crue et bien sûr, chacun de nous dans la classe a commencé à se faire des jus de légumes, à manger des germinations. Je me rappelle le bienfait que j'ai ressenti après avoir bu mon premier grand verre de jus que j'avais extrait moi-même à partir de légumes verts biologiques. C'était comme si mon corps avait fait «Ahhhhh» dans un grand soupir et, à partir de ce moment-là, tous mes ennuis de santé se sont résorbés un à un presque en totalité; quelques-uns ont pris plus de temps que d'autres à disparaître, et c'est normal, surtout si on lutte contre l'hérédité.

J'ai ensuite effectué deux séjours à l'Institut Hippocrates en Floride où l'on soigne chaque année des milliers de personnes atteintes de toutes sortes de maladies, parfois très graves, avec l'alimentation vivante, le jus d'herbe de blé et des traitements électromagnétiques, avec des résultats spectaculaires. Je suis également allée passer deux semaines de cure à la clinique Buchinger à Marbella, en Espagne, et j'ai fait successivement plusieurs cures de jus de légumes, un jeûne complet de trois jours et un de sept jours. J'ai fait une cure pour éliminer des pierres au foie et à la vésicule, et croyez-moi, ç'a marché. Comme vous pouvez le constater, reconstruire sa santé demande des efforts. Voilà pourquoi il est beaucoup plus facile de prendre soin de soi pendant que tout va bien.

Tous ces trésors d'enseignements reçus et pratiqués, j'ai eu le désir de les partager, et c'est pourquoi je signe une chronique de naturopathie hebdomadaire dans le magazine *La Semaine*. Ce livre, résultat de ces chroniques, est publié pour ceux et celles qui me réclament les recettes qu'ils ont manquées depuis le début de la publication du magazine. Car vous êtes nombreux à me lire chaque semaine; tous les sondages indiquent que la chronique: «Santé prévenir» que j'ai le plaisir de signer fait partie des pages les plus lues. Je constate donc que je ne suis pas la seule à m'intéresser à la prévention et même à la guérison par des moyens naturels.

Vous trouverez également dans ce livre de délicieuses recettes d'alimentation vivante élaborées à partir de végétaux crus. Faciles à faire en quelques minutes pour la plupart, elles ne demandent qu'un mélangeur et des ustensiles que l'on trouve dans toutes les cuisines. Aucune excuse pour ne pas «crusiner».

Ce livre constitue, à mon avis, un outil de connaissance: celle que j'ai reçue, pratiquée et que je partage avec vous.

Je souhaite à tous une longue vie remplie de satisfaction, de rêves accomplis et d'autres à venir, d'amitiés, de partage, de joie constante, conséquences d'une santé robuste et d'une énergie capable de vous soutenir.

Les informations et les suggestions contenues dans ces chroniques ne doivent pas être considérées comme un avis médical.

Une alimentation saine pour une vie en santé

LE GRAND POUVOIR DES ALIMENTS

Les aliments ont le pouvoir d'engendrer la vie ou de la détruire. Voici une autre manière de classifier les aliments, avec une approche différente de celle qui est véhiculée en général.

Avec cette approche, les aliments sont divisés en quatre catégories bien distinctes: les aliments biogéniques, les bioactifs, les biostatiques et les biocidiques.

Que sont les aliments biogéniques?

Ce sont des aliments qui ont le pouvoir d'engendrer la vie. On parle ici des germina-tions de fèves, de légumi-neuses, de céréales, de graines germées et de jeunes pousses cultivées à partir de ces ali-ments. Le processus de ger-mination décuple la valeur  nutritive d'un aliment de façon incroyable. Donc, lorsqu'on consomme ces aliments en plein processus de vie, leur force est transmise à nos cellules et leur donne de la vitalité.

Qu'en est-il des aliments bioactifs?

Il s'agit d'aliments qui, sans être aussi puissants que les germinations, ont le pouvoir d'activer la vie. Dans cette catégorie, on retrouve tous les fruits et légumes bio, frais et consommés crus, les noix et les graines non germées, ainsi que les algues crues. Les aliments biogéniques et bioactifs constituent la base de l'ali-mentation vivante. Ils doivent leur puissance à leur capacité de régénération cellulaire. L'Institut Hippocrates, situé en Floride, en fait d'ailleurs la base de l' alimentation qu'il prône, contribuant ainsi au mieux-être de malades venant de partout dans le monde, avec des résultats spectaculaires.

15

SANTÉ
PRÉVENIR

Une
alimentation
saine pour
une vie
en santé

SAVIEZ-VOUS QUE...

Le rôle des fibres est essentiellement de «ramoner» les intestins. Seules les fibres crues ont ce pouvoir. Celles qui sont cuites deviennent trop molles pour faire leur travail. La constipation est la conséquence d'une consommation insuffisante de fibres crues.

Parmi les meilleures fibres: le céleri et les légumes fibreux en général, durs sous la dent, ainsi que le psyllium et les céréales germées.

Et les aliments biostatiques?

Il s'agit d'aliments qui ont subi la cuisson, la chaleur, le froid, le stockage et qui ont été altérés par le temps. On retrouve dans cette catégorie tous les végétaux cuits, ainsi que les produits et sous-produits animaux. Nous pouvons bien sûr vivre en consommant ces aliments, qui assurent un minimum de vie à nos cellules. Toutefois, ils ne possèdent pas le pouvoir régénérateur des aliments biogéniques et bioactifs.

Que sont les aliments biocidiques?

Cette catégorie d'aliments est considérée comme néfaste à notre organisme et destructrice à court ou à long terme. Parmi ceux-ci, on retrouve tous les additifs alimentaires, les fritures, la caféine, le sel de table, le sucre blanc, l'alcool, ainsi que les produits raffinés comme la farine blanche. La force vitale de ces aliments a été détruite. Non seulement ils ne transmet-

VRAI OU FAUX

Consommer beaucoup de fibres pourrait vous aider à abaisser votre taux de cholestérol...

Vrai.
Les fibres enrobent les gras animaux, producteurs de mauvais cholestérol, et empêchent le sang de les absorber en les entraînant dans l'intestin. Les meilleures fibres proviennent des végétaux crus ainsi que des germinations et des algues. Consommez-en une grande quantité, surtout en début de repas ou comme plats principaux.

tent pas de vitalité à nos cellules, mais ils leur en enlèvent. Ces aliments pourraient, à long terme, entraîner les maladies de civilisation que sont les maladies cardio-vasculaires, les cancers et les autres maladies dégénératives.

VOUS VOULEZ PLUS DE FORCE VITALE?

Qui n'aimerait pas se sentir constamment comme un athlète au mieux de sa forme? Évidemment, je ne peux rien vous promettre. Cependant, je peux vous mettre sur la piste qui pourrait vous conduire à cette sensation de bien-être.

- Les germinations sont de 10 à 30 fois plus nutritives que les meilleurs légumes. Faciles à cultiver, offertes toutes prêtes dans les magasins de produits naturels, elles devraient être la base de votre alimentation. Consommez-les en grande quantité en début de repas, avant les aliments cuits (si vous désirez manger de ceux-ci).
- Les plantes sauvages (comme les feuilles de pissenlit et autres) récoltées dans la nature ont une grande puissance régénératrice, car elles ont poussé dans un milieu naturel, sans intervention humaine d'aucune sorte.

- Les algues de mer sont ce que l'océan offre de plus nutritif. Elles contiennent des nutriments qui ne se trouvent pas dans les légumes terrestres. Consommez-en de grandes quantités. Si leur goût vous déplaît, prenez-les en capsules.
- Les algues d'eau douce sont aussi de super aliments qu'on devrait consommer chaque jour. Vous les trouverez en capsules dans les magasins de produits naturels.

17

SANTÉ
PRÉVENIR

Une
alimentation
saine pour
une vie
en santé

Des aliments qui irradient

Plusieurs aliments ont été photographiés grâce à un procédé appelé Kirlian, qui permet de capter la lumière contenue dans les différents aliments. Ils montrent que ceux-ci, de même que tous les végétaux crus, et surtout ceux qui sont germés, irradient de merveilleuses teintes éclatantes de doré, de violet et d'autres couleurs claires magnifiques, dans et autour de l'aliment, sur un très grand rayon. Le légume cuit, pour sa part, irradie très faiblement. Quant au morceau de viande, il irradie une couleur très sombre, ce qui, avouons-le, enlève le goût d'en manger!

Enfin, pour jouir du plus grand bien-être possible, évitez tous les aliments qui sont des tueurs d'énergie. Je suis sûre que vous les connaissez instinctivement aussi bien que moi, ayant ressenti leur effet après les repas où vous les avez consommés et durant la journée.

10 QUESTIONS ET RÉPONSES

Pour vous qui désirez prévenir des malaises et des maladies évitables plutôt que d'y réagir.

1. **Quels sont les meilleurs aliments pour nourrir les glandes?**
Les noix (amandes, noix de Grenoble, avelines, etc.) et les graines (sésame, tournesol, etc.) crues et trempées. Celles-ci contiennent le matériel génétique nécessaire pour prolonger l'espèce à laquelle elles appartiennent, tout comme les glandes chez l'humain. Ce sont d'ailleurs des aliments qui favorisent la fertilité.

2. **Quelle est la meilleure céréale pour construire des muscles forts?**
Le seigle. À cause de sa structure minérale, il fournit les sels minéraux dont le muscle a besoin dans une proportion qui s'apparente à celui-ci.

3. **Quelle est la céréale la plus laxative?**
Sans contredit le maïs jaune, à cause de sa très haute teneur en magnésium. Il encourage le mouvement de l'intestin.

4. **Quels sont les meilleurs aliments pour le cerveau et le système nerveux?**
Tous ceux qui contiennent du phosphore: caviar, poisson, algue chlorelle, sardines, œufs, amandes, spiruline éclatée, lait de chèvre cru.

5. **Quelle est l'une des plus grandes lois de la santé?**
Consommer au moins six légumes différents chaque jour.

19

SANTÉ
PRÉVENIR

Une
alimentation
saine pour
une vie
en santé

6. **Quels sont les meilleurs féculents?**
Le seigle, le maïs, le riz, le millet, le kamut, l'épeautre et l'avoine, le quinoa, l'amaranthe.

7. **Comment régler les problèmes hormonaux?**
Équilibrez votre système hormonal en mangeant des aliments qui contiennent de la vitamine E: polissure de riz, germe de blé, noix, amandes, graines.

8. **Comment conserver de bons yeux?**
Mangez des aliments qui contiennent de la vitamine A: carottes, huile de foie de poisson, abricots, courges, beurre cru, fromage de lait cru.

9. **Quelles sont les six habitudes les plus néfastes?**
Manger trop souvent, manger trop, consommer des aliments frits, fumer, parler de maladie et de problèmes, s'en faire inutilement pour l'avenir.

10. **Comment mesure-t-on la valeur d'un aliment?**
À la façon dont il a été cultivé, à la quantité de vitamines et de minéraux qu'il contient et à sa fraîcheur. Les germinations en général sont les meilleurs aliments.

VRAI OU FAUX
Les pommes sont bonnes pour tous.

Faux.
Les pommes contiennent de l'acide malique, qui pourrait être néfaste pour les personnes souffrant d'acidité gastrique. Si c'est votre cas, il serait sage d'éviter également tous les agrumes jusqu'à ce que cette situation soit corrigée. La pomme cuite perd son acidité. Vous pourriez donc la consommer de cette façon.

COMMENT DÉTERMINER LA VALEUR D'UN ALIMENT

Bien des gens croient que des aliments semblables en apparence possèdent tous la même valeur nutritive et vibratoire.

En premier lieu, disons que la valeur d'un aliment est proportionnelle à la qualité des vitamines, des minéraux ainsi que des huiles volatiles qu'il contient, mais d'abord et avant tout, à celle de ses protéines, qui sont la base de la vie, les blocs constructeurs du corps. Toutes les molécules des aliments sont des protéines.

Qu'est-ce qu'une bonne protéine?

Une protéine de qualité provient d'une bonne terre riche en minéraux et exempte de produits chimiques. Les meilleures sont celles qui contiennent les huit acides aminés essentiels, incluant ceux que le corps ne peut pas fabriquer. Les protéines animales, les germinations et la spiruline sont quelques exemples d'aliments qui les renferment tous.

À quoi d'autre peut-on mesurer la valeur d'un aliment?

Après avoir tenu compte de la façon de

VRAI OU FAUX

Manger trop de protéines pourrait acidifier l'organisme et conduire à l'ostéoporose.

Vrai.

Les protéines devraient être consommées en petite quantité, la plupart d'entre nous ayant des besoins minimes sur ce plan. Pour neutraliser l'acidité provoquée par une trop grande consommation de protéines, le corps utilise beaucoup de minéraux alcalins, du calcium en tout premier lieu. Notre réserve de calcium se trouvant dans nos os, avec le temps, ceux-ci deviennent poreux, semblables à du gruyère. C'est ce qu'on appelle l'ostéoporose.

le cultiver, on pourrait dire que sa fraîcheur est essentielle. L'idéal serait qu'il passe directement du potager à la table, mais l'hiver, beaucoup des légumes que nous mangeons proviennent de la Californie ou d'ailleurs et ont voyagé longtemps. Leur force vitale est donc diminuée d'autant, sans compter qu'ils traînent ensuite aux étals des supermarchés et, plus tard, dans notre frigo, avant d'être consommés.

Les fruits, quant à eux, sont récoltés à l'étranger alors qu'ils sont encore verts et mûrissent artificiellement, ce qui en fait des aliments savoureux et nourrissants en apparence, mais souvent très pauvres en éléments nutritifs et très acidifiants. Les fruits frais de saison, cultivés localement dans une bonne terre et consommés crus aussitôt cueillis, sont l'idéal.

Qu'en est-il du raffinage?

Dès qu'on manipule les aliments, ils perdent une partie de leur force vitale, et le raffinage est la meilleure façon de les rendre inertes, sans vie. Essayez donc, pour voir, de semer des flocons d'avoine... Vous verrez qu'il ne poussera rien et que le flocon pourrira tout simplement dans la terre. Bien sûr, ce procédé est commode pour fabriquer toutes sortes de plats qui satisfont notre palais, mais la valeur nutritive et vibratoire des aliments transformés est très diminuée.

21

SANTÉ
PRÉVENIR

Une
alimentation
saine pour
une vie
en santé

SAVIEZ-VOUS QUE...

Les sacs à dos que nos enfants d'âge scolaire transportent matin et soir peuvent être très dommageables pour leur colonne vertébrale.
Ces sacs qui pèsent souvent 8 ou 9 kg (de 18 à 20 lb), ou même plus, peuvent notamment causer des subluxations vertébrales et des maux de dos. N'oublions pas que la croissance de ces jeunes n'est pas terminée. Une colonne qui ne pousse pas bien droit ou dont les vertèbres sont déplacées pourrait, à long terme, affecter tous les organes et systèmes.

Et la cuisson?

Dès que vous chauffez les aliments à plus de 46 $^{\circ}$C (115 $^{\circ}$F), tous les enzymes ainsi qu'une partie des minéraux et vitamines qu'ils contiennent sont détruits. La vie disparaît de ces produits, même s'il leur reste encore certains éléments nutritifs. L'idéal pour nous, durant la saison froide, est de consommer beaucoup de germinations, car ces pousses en pleine croissance décuplent leurs vitamines et minéraux et sont prédigérées.

QUELQUES CAUSES DE MALADIE ET DE VIEILLISSEMENT

On croit souvent que la maladie et la vieillesse sont des conditions presque inévitables. On croit aussi que seuls quelques chanceux, on ne sait pas trop pourquoi, y échappent et prennent de l'âge gracieusement tout en demeurant extrêmement actifs.

Il y a bien sûr un facteur génétique qui prédispose certains individus à conserver la santé et le bien-être jusque tard dans la vie, malgré un mode de vie quelque peu dissipé. Mais voici ce qui détruit le plus les cellules:

Premièrement, la pollution sous toutes ses formes:
a) celle de l'air, causée par les usines, le gaz d'échappement des voitures et la déforestation qui diminue la quantité d'oxygène dans l'air, les forêts étant le poumon de la Terre;

23

SANTÉ
PRÉVENIR

Une
alimentation
saine pour
une vie
en santé

VRAI OU FAUX
**Les bonnes combinaisons alimentaires
favorisent la perte de poids.**

Vrai.
Les mauvaises combinaisons alimentaires sont
responsables d'une digestion incomplète, de gaz,
de ballonnements et de constipation; cette dernière
cause une mauvaise élimination des déchets
métaboliques et l'engorgement des cellules.

b) la pollution de l'eau de surface et des nappes phréatiques causée par tous les déchets toxiques industriels et individuels;

c) la pollution par les bruits trop intenses qui agressent notre système nerveux;

d) la pollution par certaines lumières artificielles auxquelles nous sommes soumis pendant de longues périodes;

e) la pollution par les nombreux produits chimiques qu'on retrouve dans les aliments;

f) la pollution par les champs magnétiques causés par les fils et les appareils électriques, les ordinateurs, les micro-ondes, etc.

Un autre facteur important de maladie est le fait de subir un stress intense sur une longue période. Le sentiment qu'il n'y a pas de solution à nos problèmes entraîne une détresse morale et une faiblesse du système nerveux.

L'obésité est également un facteur important de maladie et de vieillissement.

Tous ces éléments contribuent à la prolifération des radicaux libres, qui sont responsables de la destruction de nos cellules. Ils agissent comme la rouille sur le fer. Mais la bonne nouvelle, c'est que, grâce à une alimentation bien ciblée, nous pouvons prévenir et corriger jusqu'à un certain point les dommages causés par ces différents facteurs.

Quel type d'alimentation faut-il adopter?
Les antioxydants luttent naturellement pour contrer les effets ravageurs des radicaux libres.

On trouve des antioxydants dans tous les aliments qui contiennent de la chlorophylle, et spécialement dans l'alimentation vivante, qui comprend: les fruits et légumes consommés crus; les germinations de légumineuses, de fèves, de céréales; les jeunes pousses (luzerne, radis, brocoli, oignons, etc.); les noix et les graines crues; les algues d'eau douce et d'eau salée; le jus d'herbe de blé. La coenzyme Q10 et les vitamines des complexes B et C sont également de puissants antioxydants qui luttent efficacement contre les effets des radicaux libres. On dit que l'alimentation vivante, par sa vibration élevée, crée un champ magnétique autour de la cellule et la protège des radicaux libres.

SAVIEZ-VOUS QUE...

Des glandes surrénales en santé sont la clé pour affronter le stress. Ce qui perturbe le plus ces glandes, qui sont rattachées au système nerveux, ce sont les émotions fortes, les peurs, le travail musculaire intense, le froid, la douleur et le stress. Les glandes surrénales sont situées au-dessus des reins, si bien que, lorsque ceux-ci sont faibles, elles le sont aussi. En outre, si l'organisme est victime d'une intoxication, cela affecte les glandes surrénales et contribue à les épuiser. Comme nous vivons des situations de stress plus ou moins intenses tous les jours, et que notre environnement est pollué, il est important que notre sang soit pur et bien oxygéné, car c'est lui qui nourrit ces glandes en les irriguant. Il est donc très important de faire chaque jour des exercices au grand air tout en prenant de profondes inspirations qui partent de l'abdomen.

QUATRE PRÉCIEUX
SECRETS DE LONGÉVITÉ

25

SANTÉ
PRÉVENIR

Une
alimentation
saine pour
une vie
en santé

Vivre longtemps et en santé, c'est possible. Il suffit de suivre quelques règles fort simples. Voici un programme pour qui veut devenir centenaire.

1. Mangez peu! Et espacez les repas. Il est reconnu que plus on mange souvent et en grande quantité, plus l'organisme s'épuise à digérer, à assimiler et à éliminer constamment.

2. Mangez uniquement des aliments ayant la plus haute valeur nutritive afin que votre corps reçoive le maximum de nutriments, tout en dépensant le minimum d'énergie pour les fonctions métaboliques que sont la digestion, l'assimilation et l'élimination. Les germinations sont les aliments les plus puissants. Viennent ensuite les phytonutriments, qui sont les légumes à feuilles vertes. Consommés frais, en salade ou en jus de source biologique, ils attaquent les cellules malades et les expulsent du corps.

3. Jeûnez une journée par semaine, en vous nourrissant uniquement de jus de légumes fraîchement extraits et consommés immédiatement. C'est excellent pour laisser le corps se purifier régulièrement, évitant ainsi l'accumulation dans l'organisme des toxines et des radicaux libres, directement liés au vieillissement prématuré.

4. Le dernier et non le moindre: oxygénez-vous en profondeur, que ce soit devant une fenêtre ouverte plusieurs fois par jour ou en prenant une marche lorsque le temps le permet. Bien sûr, faire de l'exercice de façon modérée chaque jour est essentiel si vous voulez vivre centenaire tout en conservant un organisme jeune.

SAVIEZ-VOUS QUE...

La vitamine C est essentielle pour l'organisme à la fin de l'hiver. Ses qualités principales:
- *elle augmente la résistance aux rhumes et à la grippe;*
- *elle est un puissant antioxydant;*
- *elle aide à lutter contre les mauvaises bactéries;*
- *elle aide à l'absorption du fer;*
- *elle prévient la dégénération des muscles;*
- *elle prévient une trop grande perméabilité des tissus, qui peut causer le saignement des gencives (scorbut);*
- *elle aide à la formation des vaisseaux sanguins, des os, des ligaments, des cartilages et des tissus de la peau.*

Les meilleures sources de vitamine C sont les fruits, dont la papaye est la reine, les oranges et autres agrumes, les kiwis, les mangues et les fraises, ainsi que les légumes, tout spécialement le brocoli, les poivrons et le chou, ainsi que les germinations.

QUATRE QUESTIONS MAJEURES POUR VOTRE SANTÉ

Voici un point de vue naturopathique sur différentes questions posées par les lecteurs.

1. Pourquoi les selles de certaines personnes sentent-elles particulièrement mauvais?

Cette situation pourrait être causée par une trop grande quantité de bactéries pathogènes (enne-mies) dans le côlon. Il y a également des person-nes qui digèrent mal les aliments sulfureux, par exemple le chou-fleur. Elles doivent donc y aller plus doucement avec ces aliments qui, justement, causent des flatulences à l'odeur de soufre. Pour reconstruire une bonne flore intestinale, il serait recommandé de faire une cure du côlon avec l'aide d'un naturopathe. Cet organe est très souvent le principal responsable de la maladie et est garant de la santé.

27

SANTÉ
PRÉVENIR

Une
alimentation
saine pour
une vie
en santé

2. Qu'est-ce que les radicaux libres?

Ce sont des cellules endommagées qui cherchent à s'unir à celles qui sont saines afin de se réparer, mais qui, ce faisant, les blessent à leur tour. Voilà pourquoi il est si important de consommer des aliments contenant une forte dose d'antioxydants, qui neutralisent l'action des radicaux libres. Ces derniers provoquent notamment le vieillissement prématuré. Les végétaux frais et crus ainsi que les germinations sont d'excellentes sources d'antioxydants.

3. Y a-t-il un danger à prendre beaucoup de suppléments, même de la meilleure qualité?

On est porté à penser, moi la première, que plus on en prend, mieux c'est. Toutefois, le corps peut se surcharger et travailler très fort afin d'éliminer ce que nous lui donnons en trop. Il vaudrait peut-être mieux manger peu, choisir des aliments frais et cultivés dans de la bonne terre ainsi que des germinations, mastiquer beaucoup et voir à ce que notre système éliminatoire fonctionne au maximum.

VRAI OU FAUX

On peut vivre en mangeant uniquement des végétaux, incluant les germinations.

Vrai.
De plus en plus, partout dans le monde, cette nouvelle façon de se nourrir se répand. Non seulement elle est bénéfique, mais elle est à la base du traitement offert par des cliniques de santé célèbres dans le monde entier, telles que l'Institut Hippocrates, en Floride, qui soigne sa clientèle composée de personnes souffrant de diverses maladies, allant jusqu'au cancer très avancé, uniquement à l'aide de végétaux crus et bio, de germinations, d'algues et de jus d'herbe de blé, celui-ci étant sans doute le tonique le plus formidable qui puisse exister.

4. Peut-on demeurer en bonne santé sans faire d'exercice?

C'est une question difficile, car tout dépend de ce que l'on entend par «santé». Si l'on résume cette dernière à l'absence apparente de maladie, cela est possible, bien sûr, pour les personnes qui ont une très bonne hérédité et qui savent prendre la vie du bon côté. Mais pour la plupart des gens, c'est rarement le cas. Le corps a besoin de bouger, de s'oxygéner afin d'activer ses différents systèmes.

SAVIEZ-VOUS QUE...

Pour avoir un côlon en bonne santé, mangez des aliments de couleur jaune, qui sont riches en magnésium: courge jaune, maïs, fèves jaunes, poivrons jaunes, légumes jaunes en général. Et, bien sûr, choisissez des légumes bio!

QUELS SONT LES DIFFÉRENTS TYPES DE VÉGÉTARISME?

29

SANTÉ
PRÉVENIR

Une
alimentation
saine pour
une vie
en santé

Beaucoup de confusion règne à ce sujet. Voici des informations qui pourraient vous éclairer.

Je ne sais plus combien de fois j'ai entendu des phrases du genre: «Moi, je suis végétarienne. J'ai éliminé toutes les viandes rouges de mon alimentation et je ne mange que du poulet et du poisson.» Je regrette de vous décevoir, mais le mot «végétarien» vient du mot «végétal». Le poulet et toute viande à chair blanche, ainsi que le poisson et les fruits de mer, appartiennent au règne animal. Il y a différents types de végétarisme. En fait, la plupart relèvent de ce que l'on appelle le «semi-végétarisme». En voici quelques-uns:

Le lacto-ovo-végétarien est une personne qui consomme des végétaux ainsi que tous les sous-produits animaux, comme les œufs et les produits laitiers, mais qui ne mange aucune chair animale.

L'ovo-végétarien ne consomme que des œufs en plus des végétaux.

Le lacto-végétarien consomme uniquement des produits laitiers en plus des végétaux.

Le végétalien consomme uniquement des végétaux, c'est-à-dire des fruits et des légumes, des courges, des céréales, des noix et des graines, des fèves et des légumineuses, des algues d'eau douce et d'eau salée, des germinations, des avocats, des olives crues séchées au soleil, des huiles végétales pressées à froid, etc.

Il y a bien sûr un nouveau courant qui privilégie l'alimentation vivante. Ses adeptes

choisissent un régime strictement végétal (ils mangent les mêmes aliments que les végétaliens) mais consomment ces aliments crus, d'une fraîcheur aussi parfaite que possible, en privilégiant une grande quantité de germinations, lesquelles sont particulièrement nutritives.

À nous de choisir ce qui nous convient d'un repas à l'autre.

SAVIEZ-VOUS QUE...

La graine de lin peut être efficace pour soulager les chaleurs des femmes ménopausées. Des recherches faites à l'Université Laval auprès de 25 femmes ménopausées auraient démontré que la graine de lin, riche en phytœstrogènes, consommée à raison de 1,4 oz (45 g) par jour pendant six mois, se serait révélée aussi efficace que la thérapie aux hormones de remplacement pour traiter ces symptômes! Et beaucoup plus sécuritaire! Comment la consommer? Vous pouvez la réduire en poudre à l'aide de votre moulin à café et la saupoudrer sur vos aliments, vos salades, etc.

CINQ BONNES IDÉES DE CADEAUX POUR SOI

31

SANTÉ
PRÉVENIR

Une
alimentation
saine pour
une vie
en santé

Et pourquoi pas se gâter en s'offrant des outils pour jouir d'une meilleure santé?

1. Une excellente idée pour commencer serait de vous payer une cure d'au moins une semaine dans une maison de santé. Le corps a besoin d'un nettoyage saisonnier. Pour cela, il y a bien sûr le jeûne intégral, mais aussi des cures de jus verts, moins difficiles à faire et, à mon avis, tout aussi bienfaisantes. Au Québec, on peut faire ce type de cures dans d'excellentes cliniques, dont certaines offrent en plus des massages. Les magasins d'aliments naturels disposent souvent des informations nécessaires pour dénicher une de ces cliniques.

2. L'achat d'un bon extracteur à jus serait à mon avis un cadeau royal que vous pourriez vous offrir. Les jus de légumes bio fraîchement extraits sont extrêmement régénérateurs pour le corps. L'Institut Hippocrates, en Floride, entre autres, en fait son cheval de bataille pour lutter contre les maladies qui affectent la civilisation moderne.

3. Un minitrampoline est un outil de gymnastique extrêmement bénéfique, car il permet d'activer la circulation du sang et celle de la lymphe, tout en faisant un massage de toutes les cellules, sans heurter les articulations. Cet appareil nous permet de nous servir de la gravité pour renforcer tous les systèmes de notre corps. Le trampoline serait recommandé par la NASA, paraît-il.

4. Bien sûr, on ne peut passer à côté d'un abonnement dans un centre sportif qui offre les services d'un entraîneur privé. Sans que vous deviez le consulter à chaque visite, celui-ci pourra vous guider et rendre votre programme d'exercices

beaucoup plus efficace que si vous étiez laissé à vous-même. De plus, le fait de savoir qu'un entraîneur vous attend vous stimulera et vous incitera à continuer.

5. Vous allez peut-être sursauter en lisant cette suggestion, mais, à mon avis, tout le monde pourrait bénéficier de séances régulières chez un bon chiro. Qui n'a pas une petite vertèbre un peu déplacée, une petite bosse de bison qui s'accentue avec l'âge, des maux de dos occasionnels ou peut-être même une petite scoliose? Tout le système nerveux passe par l'intérieur de la colonne. Lorsque celle-ci est mal ajustée, l'influx nerveux qui doit se rendre jusqu'aux organes et aux systèmes est affaibli. Notre corps n'est plus dans son état optimal.

Et, bien sûr, il faut ajouter à cette liste une panoplie de massages ainsi que des activités de groupe en plein air, qui offrent une belle occasion de s'oxygéner tout en se faisant de nouveaux amis. Que demander de mieux pour nous inciter à sortir de notre sédentarité?

VRAI OU FAUX
Une alimentation impeccable est suffisante pour jouir d'une santé optimale.

Faux.
L'exercice est encore plus important. Une personne qui fait de l'exercice soutenu au grand air tous les jours aura plus de chance de conserver la santé, même si, par ailleurs, son alimentation n'est pas parfaite. Si vous ne bougez pas, même en adoptant la meilleure alimentation qui existe sur terre, vos systèmes corporels vont stagner, un peu comme l'eau qui ne circule pas dans la nature. Les deux sont nécessaires, ainsi qu'un bon équilibre psychologique.

Les besoins du corps

CINQ RAISONS ESSENTIELLES DE BOIRE DE L'EAU

Le corps est composé de 65 % d'eau, et notre ossature même en contient une grande quantité.

Plusieurs bonnes raisons de boire beaucoup d'eau pure:

1. Perdre un dixième de son volume d'eau est dangereux. Lorsqu'on fait du sport et qu'on transpire beaucoup, le sang s'épaissit et circule moins vite jusqu'au cœur, ce qui pourrait, dans certains cas, entraîner une crise cardiaque. C'est l'une des raisons pour lesquelles il est primordial de boire abondamment d'eau pure de la meilleure qualité avant, pendant et après l'exercice.

2. Plus le niveau d'eau baisse dans l'organisme, plus les toxines s'y accumulent, créant des acides qui pourraient provoquer des crampes chez les sportifs. Boire une quantité d'eau suffisante ainsi que des boissons contenant beaucoup de minéraux organiques, en plus d'avoir une bonne alimentation, pourrait permettre d'éviter ce problème. En fait, idéalement, absorber un grand verre de jus de légumes verts frais et bio, des herbes riches en

minéraux et du vinaigre de cidre non pasteurisé et bio à raison de 15 ml (1 c. à soupe) dans un verre d'eau après l'exercice est excellent pour chasser les acides et redonner au corps les minéraux perdus durant l'effort.

3. L'eau apporte les éléments nutritifs aux cellules. Elle entraîne également les déchets des cellules vers les organes d'élimination que sont la peau, les poumons, les reins et les intestins. Un petit truc pour savoir si vous buvez suffisamment est de vérifier l'état de votre urine. Si elle est trop jaune et a une odeur, si vous ressentez des brûlures lorsque vous l'évacuez, cela pourrait indiquer qu'elle est trop concentrée et que vous avez besoin de boire davantage.

4. L'eau est essentielle pour maintenir la température du corps au degré idéal.

5. L'eau permet également aux organes de vivre dans une proximité harmonieuse, car sans elle, ceux-ci se frotteraient les uns contre les autres, créant chaleur et irritation. C'est également elle qui les empêche de se déplacer.

VRAI OU FAUX
Boire suffisamment d'eau pure peut diminuer le risque de souffrir de certaines maladies.

Vrai.
Les risques de calculs rénaux, entre autres, ainsi que du cancer du côlon et des voies urinaires peuvent diminuer si l'on boit chaque jour une quantité suffisante d'eau, selon Susan Kleiner, Ph. D., de l'Université de Washington. Quelle quantité faut-il boire? En divisant par deux votre poids en livres, vous aurez une bonne idée du nombre d'onces dont vous avez besoin quotidiennement, selon vos activités.

Quelle quantité d'eau boire?

Bien sûr, tout dépend de votre mode de vie, mais il est évident que les sportifs ont besoin d'une très grande quantité d'eau. Pour une personne moyennement active, deux ou trois litres par jour devraient suffire. Mais cela peut varier selon le climat et les conditions personnelles du moment. Ne vous fiez pas à la soif, car, tout comme moi, la plupart des personnes ne la ressentent pas beaucoup.

TOUTES LES EAUX SE VALENT-ELLES?

Comment distinguer les bonnes eaux de celles que l'on devrait éviter et pourquoi?

Le corps contient de 65 à 70 % d'eau. Il est donc important de remplacer cette eau régulièrement en buvant beaucoup, soit environ 2 litres par jour, afin d'éviter la déshydratation. Celle-ci est le résultat d'un sang qui s'épaissit par manque d'eau et qui ne peut donc plus pénétrer les cellules.

Quelle est l'eau idéale?

La nature nous donne l'exemple en nous fournissant de l'eau naturellement distillée contenue dans les fruits et les légumes crus. C'est une eau fluide, car elle est dépourvue de minéraux inorganiques. Elle est parfaite pour nettoyer les tissus de l'organisme humain. Les cellules du corps sont souvent saturées de déchets, et pour transporter ces toxines vers l'extérieur, autant priviligier une matière fluide moins saturée. L'eau distillée serait idéale pour transporter les minéraux inorganiques hors des cellules.

Quelles sont les eaux à éviter?

L'eau du robinet est non seulement traitée à l'aide d'une grande quantité de produits chimiques, mais elle passe obligatoirement dans des tuyauteries galvanisées qui pourraient vous intoxiquer à la longue en libérant du zinc.

La tuyauterie de cuivre, quant à elle, libère du plomb, en provenance des soudures des joints, ainsi que des molécules de cuivre, qui se détachent lorsque l'eau circule. On sait que ces métaux lourds pourraient être dommageables pour notre organisme.

L'eau des puits et l'eau de source sont en général saturées de minéraux inorganiques, que le corps assimile peu. Pour plus de sûreté, regardez sur la bouteille, où figure le nombre de minéraux contenus dans l'eau. Vous pourrez lire un chiffre suivi des lettres PPM (parties par million). Ce chiffre ne devrait pas être supérieur à 35 ou 40.

Quels sont les symptômes liés à la consommation régulière d'une mauvaise eau?

L'arthrite est souvent le résultat de l'accumulation de minéraux inorganiques dans les articulations. Les pierres aux reins ou à la vésicule ainsi que le durcissement des artères sont des conséquences possibles d'une trop grande absorption de minéraux inorganiques, c'est-à-dire peu assimilables par l'organisme humain.

AVONS-NOUS BESOIN DE SUPPLÉMENTS NUTRITIFS?

Dans un monde idéal sans pollution, où la culture se ferait sans produits chimiques, sans OGM, sans irradiation et dans les meilleures terres, comme c'était le cas autrefois, la réponse serait sans doute non.

De plus, même dans ces conditions idéales, il faudrait encore que nos aliments passent directement du potager à notre assiette sans subir de cuisson, qui les altère et détruit la plupart de leurs éléments nutritifs. Comme on le voit, ce monde parfait est loin de notre réalité.

Comment pouvons-nous contourner tous ces problèmes?

D'abord et avant tout, il faut choisir des aliments de culture biologique les plus frais possible. On devrait aussi consommer beaucoup d'aliments germés, car le processus de germination décuple leur valeur nutritive. Et leur vie se communique à nos cellules, créant autour d'elles un champ électromagnétique qui les protège des attaques des radicaux libres, des virus, etc.

Malheureusement, l'alimentation parfaite est souvent difficile à pratiquer, pour toutes sortes de raisons. C'est pourquoi la plupart d'entre nous avons intérêt à consommer des suppléments alimentaires, mais pas n'importe lesquels. La cellule a besoin de recevoir de vrais aliments pour pouvoir s'en nourrir.

Quels seraient les meilleurs suppléments?

1. Les algues d'eau douce et d'eau salée contiennent des nutriments qu'on ne trouve pas dans les aliments cultivés dans la terre. C'est une des raisons pour lesquelles elles sont si bénéfiques. De plus, ce sont des aliments remplis d'oxygène, comme l'indique leur couleur vert foncé. Et elles se vendent en comprimés ou en capsules.

2. Les poudres faites à partir d'herbes vertes déshydratées à basse température sont aussi excellentes. On les appelle «les jus verts». Consommez celles de culture biologique ou encore celles qui ont poussé dans la nature sauvage et qui ne contiennent pas de fibres de remplissage, afin d'avoir le supplément le plus pur et le plus efficace possible.

3. Un petit verre par jour de jus d'aloès extrait de la plante entière aidera grandement les systèmes digestif et éliminatoire (intestins).

N'oubliez pas de toujours consommer des suppléments qui proviennent de l'aliment entier. Ainsi, vous ne pourrez pas vous tromper!

LES SIGNES VISIBLES D'UN MANQUE DE MINÉRAUX...

• LA SILICE est un des minéraux dont nous manquons le plus souvent, et ce, depuis que nous mangeons des céréales raffinées. Ce minéral est essentiel à la protection de l'enveloppe des nerfs, à la peau et aux cheveux. Il agit comme un isolant. C'est lui qui donne de l'élasticité aux tissus et de la dureté aux dents et aux os.

L'accumulation de cire dans les oreilles, le nez qui pique, les picotements en général, les varices, les cheveux secs et cassants, les ongles lignés qui se dédoublent, la peau sèche, la sclérose en plaques et le psoriasis sont souvent associés à un manque de silice. La tisane de paille d'avoine, la prêle, les céréales non raffinées – surtout l'avoine et l'orge –, le jus cellulaire d'avoine, le son de riz et le sirop qui en est tiré, la tisane de houblon et les comprimés de luzerne sont d'excellentes sources de silice.

SAVIEZ-VOUS QUE...

La cuisson détruit plusieurs vitamines et minéraux, entre autres la vitamine B1, l'iode, le potassium et le sodium organique (pas le sel de table ou de mer, mais celui contenu naturellement dans les légumes tels que le céleri). Ces minéraux essentiels peuvent cependant être conservés en grande partie si vous couvrez hermétiquement la casserole utilisée pour la cuisson de vos légumes et ne soulevez le couvercle sous aucun prétexte jusqu'à ce que la cuisson soit terminée et le plat suffisamment refroidi pour qu'il ne produise plus de vapeur. En effet, plusieurs minéraux et vitamines s'échappent dans la vapeur, d'où l'importance d'utiliser un chaudron à couvercle étanche.

• LE CALCIUM est essentiel au maintien de bons os. De plus, c'est un minéral très alcalin qui sert à neutraliser les acides dans l'organisme. Voilà pourquoi il est tellement sollicité et pourquoi l'organisme en manque si souvent, sauf chez les personnes qui ont un régime impeccable accompagné d'exercice régulier.

Signes visibles d'un manque de calcium: les personnes très grandes et minces, qui ont une petite ossature, des doigts croches et un dos courbé souffrent souvent d'un déficit en calcium. Le calcium de bonne qualité se trouve surtout dans les graines de sésame et les amandes – avec lesquelles on peut faire des laits –, le chou vert frisé (kale) et les légumes vert foncé en général, les œufs de poisson, les feuilles de navet, les haricots, les céréales de grains entiers germées ou cuites doucement à la vapeur – le seigle en particulier –, l'algue dulse, la mousse d'Irlande (algue) ainsi que les fromages de chèvre non pasteurisés.

VRAI OU FAUX

La crème glacée commerciale est faite à base de crème.

Faux.
Sauf exception, si vous prenez le temps de lire la liste des ingrédients, vous risquez d'y trouver une grande quantité de produits aux noms bizarres qui ressemblent plus à des produits chimiques qu'à des aliments. Ma suggestion: achetez-vous une sorbetière et faites vous-même votre crème glacée. Vous saurez exactement ce qu'elle contient. De plus, il paraît que c'est délicieux!

• LE CHLORE a la même fonction dans l'organisme que celui que vous mettez dans votre piscine: il nettoie, purifie et pousse les toxines vers les organes d'élimination que sont la peau, les reins, les intestins et les poumons.

Une personne qui transpire beaucoup, dont l'haleine est fétide, dont l'odeur corporelle est désagréable et dont l'urine sent fort aurait intérêt à consommer des aliments qui contiennent du chlore: le *capra mineral whey*, ce petit lait de chèvre déshydraté en vente dans les magasins d'aliments naturels, ainsi que beaucoup de végétaux crus et surtout des germinations.

Avant tout, il est important de prendre note qu'une réserve de minéraux se reconstruit lentement et qu'il peut falloir jusqu'à un an pour la reconstituer à l'aide d'une alimentation ciblée.

• LE POTASSIUM, aussi appelé «le grand alcalinisant», est principalement emmagasiné dans les muscles et aide à neutraliser l'acidité des tissus. Il aide donc à prévenir la formation d'acide urique. Il aide aussi à drainer les acides logés dans les articulations, ce qui contribue à prévenir ou à soulager l'arthrite et les rhumatismes. Ceux qui manquent de potassium ont souvent les nerfs irrités, la pensée confuse, les mains qui tremblent, supportent très mal les changements brusques de température et pourraient souffrir de problèmes cardiaques.

Où trouve-t-on du potassium? Dans les olives noires non trempées dans le vinaigre, les feuilles des légumes verts, le vinaigre de cidre bio et non pasteurisé, les pelures (1/2 po ou 1,3 cm d'épaisseur) de pommes de terre, les algues dulse, le varech et la mousse d'Irlande.

SAVIEZ-VOUS QUE...

Les rides se formeraient à cause d'une baisse de la quantité de sels minéraux et d'oxygène dans l'organisme. Privée de ces éléments, la peau aurait tendance à s'oxyder et à vieillir. Une minéralisation générale serait bénéfique, mais les principaux éléments qui manquent dans ce cas sont la silice, pour la qualité de la peau, et le fer, pour l'oxygène.

Comment se procurer ces deux éléments? La silice se trouve dans la tisane de paille d'avoine; c'est la façon la plus économique de la consommer. En outre, boire du sirop de cerises noires tous les jours, à raison de 1 ou 2 c. à soupe (de 15 à 30 ml) diluée dans un verre d'eau, en plus de faire fréquemment des marches au grand air pourraient faire des merveilles. Vous trouverez ces produits dans les magasins d'aliments naturels.

• LE MAGNÉSIUM On appelle le magnésium «le grand relaxant». Il permet d'évacuer les toxines accumulées au niveau des nerfs. C'est lui, principalement, qui encourage un bon mouvement intestinal. Les tics nerveux et tout signe visible d'une grande nervosité pourraient être associés à un manque de ce minéral. Où se trouve le magnésium? Dans les légumes jaunes – surtout le maïs –, les courges, les piments, le *capra mineral whey* (petit lait de chèvre déshydraté), le sirop de son de riz et la polissure de riz (son de riz en poudre).

• LE PHOSPHORE est aussi appelé «porteur de lumière», qu'elle soit mentale ou physique. Il alimente les cellules nerveuses et est indispensable au bon fonctionnement du cerveau. Les déficiences en phosphore pourraient se manifester par des goûts soudains pour des substances comme la caféine, le sucre et les autres stimulants, une extrême fatigue, un manque d'espoir, de l'apitoiement sur soi, de la peur, de l'inaptitude mentale, des nerfs épuisés, de l'indécision et des pensées morbides. On trouve du phosphore principalement dans les protéines animales, les jaunes d'œufs, les œufs de poisson, tout spécialement ceux de la morue, les noix et les graines crues.

• LE SODIUM est aussi appelé «élément de jeunesse», car il a la réputation de garder le corps souple, en forme et actif. Le sodium participe à la formation d'un sang riche. Les personnes dont les articulations sont raides et craquent lorsqu'elles se plient, celles qui sont incapables de se pencher loin en avant, qui font de l'arthrite et qui ont des bosses sur les jointures des doigts pourraient souffrir d'un manque de ce minéral.

Où le trouver? Le *capra mineral whey* (petit lait

VRAI OU FAUX

Plus je mange de fruits, plus je perds de minéraux.

Vrai.
Les fruits ont un pH acide, sauf lorsqu'ils sont cueillis à pleine maturité et mangés immédiatement. Lorsqu'on fait une consommation trop abondante de fruits, et surtout de jus de fruits, le corps doit se servir de sa réserve de minéraux pour neutraliser l'acidité. Et ce sont les minéraux les plus alcalins qui vont entrer en service, tels que le calcium, le potassium, le sodium et le magnésium.

de chèvre déshydraté), le céleri, le persil, les feuilles de pissenlit, les comprimés de luzerne ainsi que les fruits mûris au soleil et consommés immédiatement après la cueillette contiennent un sodium d'excellente qualité. À éviter: le sel de table ou de mer, qui offre un sodium inorganique et contribue à la rétention d'eau et au durcissement des artères.

• L'IODE est l'élément qui maintient un bon état de santé. Il est aussi essentiel au bon fonctionnement de la glande thyroïde. Un manque de ce minéral pendant une période prolongée pourrait amener certaines personnes à souffrir de mauvaise digestion, de frilosité et d'hyperthyroïdie suivie d'hypothyroïdie. La plupart de nos terres agricoles, qui sont situées loin de la mer, manquent tellement de ce minéral qu'il y en a très peu dans nos végétaux, souvent pas du tout.

Les gens qui manquent d'iode auraient tendance à souffrir d'un manque de maîtrise émotionnelle. Ils pourraient aussi souffrir de phobies, d'hyperactivité ou, au contraire, de dépression et d'épuisement nerveux. Le goitre serait aussi une conséquence du manque d'iode.

Les meilleures sources d'iode sont les algues de mer comme l'hijiki et la dulse (en vente dans les magasins d'aliments naturels), le saumon, le fromage de lait de chèvre cru et l'agar-agar (gélatine végétale en vente également dans les magasins d'aliments naturels).

• LE FER attire l'oxygène dans le corps et le transporte jusque dans nos cellules. Nous avons besoin d'un taux d'hémoglobine élevé pour nous remettre de nos problèmes de santé. Jouir d'un taux de fer suffisant pourrait réduire les risques de maladie cardiaque. Les personnes qui ont les lèvres bleues, une teinte bleutée dans le blanc des yeux, des poches bleues sous les yeux, un teint pâle ou des désordres menstruels réguliers pourraient souffrir à quelque degré d'un manque de ce minéral.

Les meilleures sources de fer sont le sirop de cerises noires (en vente dans les magasins d'aliments naturels), l'algue dulse, le varech, le son de riz, les légumes vert foncé, les fruits séchés (préférer ceux qui ne sont pas sulfurés), la chlorophylle liquide, la mélasse Blackstrap non sulfurée, les dattes, les feuilles de betterave et les bananes rouges.

À noter: la cuisson détruit le fer dans une proportion de 46 % environ.

LE FOIE: NOTRE REMPART CONTRE L'EMPOISONNEMENT

Le foie est le plus gros organe du corps humain et aussi le plus complexe.

Grâce à sa capacité de filtrer les poisons que nous absorbons, le foie nous maintient en vie malgré nos excès de nourriture et d'alcool, bien sûr, mais aussi malgré la pollution qui, sous toutes ses formes, pénètre dans notre organisme. Si vous absorbez par erreur une substance vénéneuse et que vous en réchappez, remerciez votre foie, qui aura sans doute souffert grandement pour défendre votre vie, mais qui aura la capacité de se régénérer très rapidement.

Le foie, un merveilleux recycleur

Le foie retire toutes les toxines du sang et, grâce à un merveilleux pouvoir de recyclage naturel, il utilise celles-ci pour fabriquer de la bile, une substance utile à la digestion. Cependant, pour accomplir ses multiples tâches, il a besoin de sang, de beaucoup d'oxygène et d'une bonne nutrition.

 ### SAVIEZ-VOUS QUE...

Le persil est un purificateur sanguin. En effet, sa haute concentration en sodium organique agit sur le foie, et c'est cet organe qui purifie le sang. De plus, le persil est riche en fer, ce qui aide le foie à fonctionner. Il est excellent également pour soulager les problèmes de peau.

Une excellente façon de le consommer cru est de vous faire du taboulé, fabriqué à partir de persil haché menu auquel on peut ajouter du quinoa germé ou encore du blé concassé et une vinaigrette. On en trouve aussi tout préparé dans les magasins d'aliments naturels et les grandes épiceries.

L'ennemi du foie: la sédentarité

Comme cet organe a besoin de beaucoup d'oxygène pour accomplir ses fonctions, l'exercice effectué au grand air, en respirant profondément, est essentiel à son bon fonctionnement. Une alimentation riche en chlorophylle lui est aussi bénéfique. Rester assis du matin au soir devant son ordinateur en respirant un air vicié n'est certes pas bon pour les poumons, mais on oublie trop souvent que le foie est sans doute le premier à souffrir de ce mode de vie, car il a besoin d'énormément d'oxygène.

Le grand pouvoir de régénération du foie

Le foie est un organe tellement essentiel à notre survie que la nature a prévu qu'il se régénère très rapidement. Pour cela, il est doté d'une irrigation exceptionnelle. Si l'on mettait bout à bout tous les capillaires sanguins qu'il contient, on couvrirait une distance de plusieurs kilomètres.

COMMENT BIEN TRAITER VOTRE FOIE?

Vous sentez le besoin de lui offrir un bon repos? Voici quelques suggestions qui pourraient vous y aider.

Signes d'intoxication du foie

En fait, tout problème de santé pourrait indiquer que le foie est touché à un degré ou à un autre, car c'est cet organe qui purifie le sang, lequel, à son tour, est responsable de nourrir les cellules. Si le foie ne fonctionne pas au maximum, son pouvoir de filtration sera amoindri, et les toxines pourront circuler dans l'organisme.

Bienfaits des germinations

Les jeunes pousses (luzerne, radis, tournesol, sarrasin, etc.) et les germinations en général ont tendance à neutraliser les toxines qui se trouvent dans le foie et à donner à celui-ci la force nécessaire pour se régénérer. Lorsque le foie est vraiment mal en point, il est recommandé de lui fournir une nourriture aussi légère et pure que possible, remplie de chlorophylle. Les jus de légumes verts de provenance biologique faits maison, consommés aussitôt extraits, sont de précieux outils pour favoriser l'autoguérison. Ils produisent très peu de toxines, ce qui laisse au foie le temps de se régénérer.

S'occuper de ses intestins pour avoir un foie en santé

N'oublions pas que lorsque le foie se nettoie, il vide ses déchets dans les intestins, qui se chargent de les évacuer. Si ceux-ci fonctionnent mal, les toxines remontent à nouveau vers le foie. Un nettoyage en profondeur des intestins au moyen d'une cure spécifique (un bon naturopathe pourrait vous guider) ainsi que quelques irrigations du côlon administrées par un thérapeute spécialisé pourraient vous apporter un grand bien-être.

Les grands destructeurs du foie

Tous les agents préservatifs, la nicotine, l'alcool, les poisons gazeux (ex.: gaz émis par les automobiles, gaz intestinaux, gaz délétères qu'on trouve dans les endroits mal aérés comme les tours à bureaux, etc.), les poisons tactiles (ceux qu'on absorbe par la peau en se blessant au contact de clous rouillés, par exemple), les poisons sanguins (ceux qui sont transmis par le sang), les poisons buccaux (transmis par le baiser, notamment), les poisons végétaux (ex.: les champignons vénéneux, certaines épices irritantes, etc.), les poisons métalliques: le mercure, le plomb, le cuivre, le goudron, les fritures ainsi que les aliments raffinés en général fatiguent le foie, particulièrement si celui-ci est déjà affaibli par un problème héréditaire ou simplement par le passage des ans.

POUR EN SAVOIR PLUS SUR VOTRE FOIE

On dit que la bile émulsifie le gras. Qu'en est-il exactement?

Après que le foie a neutralisé les toxines et fabriqué, par un merveilleux travail de recyclage naturel, de la bile avec ces déchets, celle-ci se concentre dans la vésicule biliaire. Son rôle est d'émulsifier le gras, c'est-à-dire de le rendre liquide afin qu'il puisse être éliminé sans causer de blocages dans l'organisme.

Quels minéraux permettent au foie de fonctionner à sa pleine mesure?

Le foie est un organe qui a besoin de beaucoup d'oxygène pour bien fonctionner. Or, pour absorber cet oxygène, notre organisme doit disposer d'une bonne quantité de fer. Il est important, en outre, d'aller dehors et de respirer à fond chaque jour afin de pouvoir fabriquer de l'hémoglobine.

Le foie a également besoin de sodium (pas celui contenu dans le sel de table, mais celui qu'on trouve dans les légumes comme le céleri) et de soufre. Ces deux minéraux lui permettent de bien travailler, de disposer des toxines, de nettoyer le sang et de faire de la bile. C'est le soufre qui pousse la bile du canal biliaire vers le petit intestin. Quant au sodium, il est l'un des minéraux les plus alcalins, une qualité indispensable à la formation de la bile, étant donné que celle-ci est également alcaline.

VRAI OU FAUX

Plusieurs herbes et nutriments peuvent agir comme antibiotique naturel.

Vrai.
Voici quelques-uns d'entre eux: l'ail, l'échinacée, l'hydraste du Canada, l'essiac, les champignons reishi, shiitake et maitake, l'extrait de pépins de pamplemousse. Toutefois, si vous souffrez d'une infection sérieuse, il serait sage de consulter votre professionnel de la santé

SAVIEZ-VOUS QUE...

Pour améliorer la digestion, la consommation de plantes amères comme le pissenlit, la cardamome et la gentiane associée à des respirations profondes au grand air plusieurs fois par jour pour vous oxygéner en profondeur vous aideront grandement. Et, idéalement, attention aux mauvaises combinaisons alimentaires qui transforment les aliments les plus sains, lorsqu'ils sont pris séparément, en de véritables poisons lorsqu'ils sont combinés incorrectement. Lourdeurs, gaz, mauvaise élimination sont synonymes de digestion perturbée, même si, par ailleurs, vous ne ressentez pas de malaise.

Qu'est-ce qui provoquerait les «crises de foie»?

Ce type de problème survient souvent après qu'on a pris un gros repas contenant beaucoup de matières grasses. La présence de celles-ci dans l'organisme entraînerait la sécrétion d'une grande quantité de bile, laquelle s'entasserait ensuite dans le canal biliaire.

À cause d'un manque de sodium et de soufre, elle ne pourrait être évacuée assez vite, ce qui pourrait provoquer de grands malaises et des vomissements de bile.

Les bons et les mauvais aliments

VALEUR NUTRITIVE DE QUELQUES LÉGUMES D'ÉTÉ

Le céleri

Le céleri est vraiment un roi. C'est un aliment qui entraîne les toxines vers l'extérieur du corps. Il contient une grande quantité de sodium organique, un élément qui aide à préserver la jeunesse. Il neutralise les acides, freine la fermentation et purifie le sang. Il travaille au niveau des reins. Il est bon pour la membrane de l'estomac et le tube digestif. S'il est consommé sous forme de jus, son efficacité augmente.

Le concombre

Le concombre, de par sa haute teneur en sodium organique, aide à la digestion et purifie l'intestin. En outre, il refroidit le sang. Pour cette raison, il n'est pas conseillé d'en manger en hiver. Le jus de concombre bio constitue une excellente base pour une boisson énergétique.

L'endive

Le goût amer de l'endive nous indique que ce légume est excellent pour stimuler la digestion. Très alcalin, il est riche en vitamine A, qui protège les muqueuses afin d'éviter qu'elles soient irritées par les toxines, ainsi qu'en fer et en potassium.

La tomate

La tomate est un nettoyeur du sang, surtout lorsqu'on la combine avec des légumes verts. Très vitaminée et excellente pour les diètes éliminatoires, elle doit cependant être consommée aussi fraîche que possible et récoltée à maturité, pour éviter qu'elle ne

devienne plus acide, ce qui se produit rapidement une fois qu'elle est cueillie.

Le chou

Le chou est un des légumes les plus minéralisants qui soient. Il est très riche en vitamines A, B et C, ainsi qu'en calcium, en potassium, en chlore, en iode, en phosphore, en sodium et en soufre. Le jus de chou a la réputation de guérir les ulcères d'estomac à cause de la vitamine U qu'il contient.

L'épinard

L'épinard est un légume très alcalin et représente une excellente source de vitamines A et C; il contient également un fort pourcentage de potassium, de fer et de calcium. Excellent pour les systèmes lymphatique, urinaire et digestif.

L'oignon

L'oignon contient une grande quantité de soufre, qui pousse les fermentations et les impuretés hors du corps. Il est très bon pour le foie. Le consommer en même temps que du céleri, qui contient une grande quantité de sodium, pourrait neutraliser les gaz que le soufre contenu dans l'oignon a tendance à produire.

VRAI OU FAUX
Les gras font tous grossir.

Faux.
Le gras végétal cru — huiles végétales pressées à froid, avocat, etc. — contient un enzyme, la lipase, qui est capable de pénétrer les dépôts de gras saturé, autrement dit les réserves de graisses, et de les fractionner en petits morceaux pour en faciliter l'élimination.

Le maïs sucré

Le maïs sucré est l'un des meilleurs féculents, avec le riz complet et l'orge. Riche en magnésium, il est excellent pour les intestins, les os et les muscles. Cependant, c'est un des aliments les plus souvent modifiés génétiquement. On aurait donc intérêt à consommer principalement celui qui provient de la culture biologique.

Le chou vert frisé (kale)

Le kale est un légume dont la couleur vert foncé indique la grande richesse en minéraux et en oxygène. Excellente source de calcium, il aide à avoir des dents solides. Il contient également beaucoup de vitamine A et du fer, sans oublier qu'il est excellent pour les systèmes nerveux et digestif.

Le poireau

Le poireau est bon pour la gorge. Il liquéfie le mucus et aide au dégagement des sinus. Il est également un excellent purificateur du sang, du foie et du système respiratoire.

Le chou-fleur

Le chou-fleur a la réputation d'aider à éviter le cancer de l'intestin. Le calcium qu'il contient se situe surtout dans les feuilles vertes qui l'entourent. Cependant, ce légume a tendance à provoquer des gaz et des ballonnements à cause du taux élevé de soufre qu'il renferme.

Le navet

Le navet et ses feuilles, consommés en jus surtout, sont excellents pour décoller le mucus attaché aux bronches. Le navet cru est riche en vitamine C. Ses feuilles aident notamment à contrôler le taux de calcium dans l'organisme.

Le céleri-rave

Le céleri-rave contient une grande quantité de phosphore et de potassium. Il est extrêmement bénéfique pour les systèmes nerveux, lymphatique et urinaire.

Le collard

Le collard est riche en calcium ainsi qu'en vitamines A et C. On peut dire qu'il est bénéfique pour la totalité de l'organisme, car ses feuilles vert foncé en font une source importante de chlorophylle.

La chicorée

La chicorée est riche en vitamine C. La tisane faite à partir de sa racine augmente l'action péristaltique et active le travail du foie.

Le cresson

Le cresson aide à éliminer le mucus à cause de sa richesse en sels alcalins et de ses vitamines. Il purifie le sang. Il est excellent pour les glandes, le foie et les reins. De plus, il est riche en soufre, en potassium et en calcium.

VRAI OU FAUX

Lorsqu'on consomme beaucoup de végétaux crus, de germinations, on a besoin de boire beaucoup moins d'eau.

Vrai.

Les végétaux crus sont constitués en majeure partie d'eau. La cuisson retire l'eau contenue naturellement dans les aliments. Les gens qui mangent la plupart de leurs aliments cuits ont intérêt à consommer une très grande quantité d'eau pour compenser, afin d'éviter le desséchement des cellules et de l'intestin, qui provoque la constipation.

La patate sucrée (ou douce)

La patate sucrée est une bonne source de niacine. Excellente pour le système éliminatoire en général, elle pourrait toutefois constiper un peu.

La citrouille

La citrouille est très riche en potassium, en magnésium et en sodium, ce qui la rend très alcaline. Excellente source de vitamines B et C. On dit que la graine de citrouille mélangée à de l'oignon est excellente pour tuer les vers et les parasites situés dans les intestins. Elle serait également efficace pour faire perdre du poids.

La courge d'hiver

La courge d'hiver serait excellente pour les régimes éliminatoires à cause de son apport en magnésium, en vitamine A, en potassium et sodium. En outre, elle est pauvre en fécule.

La pomme de terre

La pomme de terre est excellente si elle est consommée en jus. Étant très riche en minéraux, elle est très alcaline. Elle contient notamment du potassium, un minéral qui est un grand guérisseur du corps et qui aide à éliminer les acides. Elle peut cependant donner des problèmes de constipation.

VRAI OU FAUX

Consommer du sel en excès pourrait mener au cancer.

Vrai.

Chez certaines personnes, l'excès de sodium inorganique (sel de table ou de mer) sature tellement les cellules que même l'oxygène ne peut plus y entrer. Une cellule cancéreuse ne contient plus du tout d'oxygène. Pour éliminer l'excès de sodium, mangez beaucoup de salades de légumes vert foncé et buvez le jus de ces légumes.

SAVIEZ-VOUS QUE...

Pour améliorer la circulation sanguine, vous pouvez:

1. *Prendre un bain froid (mais pas trop froid, sauf si vous êtes en très bonne santé) pendant 10 minutes.*
2. *Prendre un bain chaud (mais pas trop chaud non plus, sauf si vous êtes en très bonne santé) pendant 10 minutes.*
3. *Vous frictionner vigoureusement une demi-heure avec une brosse ou un gant de crin, en partant des extrémités vers le cœur.*

Une autre méthode consiste à prendre des douches en alternant l'eau chaude et l'eau froide plusieurs fois. Terminer avec une friction vigoureuse telle que décrite précédemment.

(Pour personnes en bonne santé seulement)

Les champignons

Les champignons sont riches en germanium, une substance qui augmente l'efficacité de l'oxygène dans le corps, neutralise les polluants et augmente la résistance aux maladies. Ils constituent également de bonnes sources de vitamine B.

Pour terminer, je vous recommande de consommer tous ces bons aliments crus, autant que possible. Cela leur permettra de conserver leurs précieux minéraux et vitamines, qui sont détruits par la chaleur. Choisir de préférence ceux qui ont été cultivés dans une bonne terre exempte de produits chimiques. Les aliments bio constituent le meilleur choix santé.

LES BONS ET LES MAUVAIS GRAS

On reconnaît de plus en plus l'importance de consommer de bons gras. Voici où les trouver et quels sont ceux à éviter.

Les acides gras saturés

Ces gras proviennent du règne animal et contiennent du cholestérol. Les viandes, celle de mouton en tête, les œufs et les fruits de mer, ainsi que les produits laitiers, contiennent notamment une grande quantité de cholestérol. Les gras saturés en général devraient être consommés en toute petite quantité pour éviter les maladies vasculaires.

Les gras monoinsaturés

Excellents pour la santé! On les trouve entre autres dans les olives, les noix et les avocats ainsi que dans leurs huiles. Les huiles de sésame, d'arachide, de canola, de noisette et d'amande en contiennent.

Les gras polyinsaturés

Ils comprennent les fameux oméga-3 ou acides gras essentiels. Nous devons en manger tous les jours, car notre corps est incapable de les synthétiser lui-même. Ils sont essentiels au bon fonctionnement de notre cerveau et de nos artères, à la circulation sanguine, à la cicatrisation, etc. On les trouve dans les poissons d'eau froide comme le saumon, le maquereau, etc., dans le krill, les algues marines, les microalgues, les graines de lin, le chanvre, la citrouille, le canola et les noix de Grenoble.

Les gras trans

Ce sont les plus dangereux! Ils ont très mauvaise réputation par les temps qui courent. Ce sont des gras polyinsaturés qu'on a soumis à un processus d'hydrogénation pour leur donner une consistance ferme comme celle du beurre. On les trouve dans les produits transformés comme les margarines, le shortening, etc. Ils sont souvent utilisés dans la confection de craquelins, de gâteaux, de biscuits, etc. Si l'étiquette d'un produit indique «hydrogéné» ou «partiellement hydrogéné», évitez-le pour le bien de vos artères.

À RETENIR

Les gras mono et polyinsaturés contribuent à abaisser le taux de mauvais cholestérol et à augmenter le taux de bon cholestérol. Les femmes ont besoin de consommer environ 60 g de bons gras par jour, et les hommes, 90 g.

Ex.: 1 c. à thé = 5 g, 1/2 avocat = 15 g, 1 olive = 1 g.
Idéalement, mangez des portions de gras provenant de plusieurs sources différentes, en consommant l'aliment entier plutôt que l'huile qui en est tirée. Privilégiez ainsi l'avocat plutôt que l'huile d'avocat.

LES FIBRES: BONNES OU MAUVAISES?

Certaines écoles de pensée prétendent qu'elles sont irritantes et devraient être évitées. D'autres ne jurent que par elles. En fait, tous les végétaux contiennent des fibres. Dire qu'il faudrait éviter celles-ci revient à prétendre qu'il ne faut pas manger de légumes ni de fruits.

Le rôle des fibres

Les fibres sont les «balais» de l'intestin. Ce sont elles qui en nettoient les parois. Si on n'en consomme pas assez, les selles durcissent, deviennent sèches et stagnent dans l'intestin, causant une intoxication.

Les hémorroïdes et autres maladies de l'intestin sont souvent associées à un manque de fibres dû à notre alimentation de plus en plus dénaturée, faite de légumes trop cuits, de produits raffinés et d'une trop grande quantité de produits animaux, qui ne contiennent aucune fibre.

Quelles sont les meilleures fibres?

À cause de notre alimentation pauvre en fibres, nous souffrons de plus en plus de constipation et tentons de régler ce problème en allant chercher celles-ci un peu partout, notamment dans le pain ou les céréales. Le problème, c'est que les fibres que nous ajoutons à notre régime sont souvent raffinées, comme dans le cas du son de blé ou d'avoine, ou encore du psyllium raffiné, vendu en vrac dans les épiceries ou en formule dans les pharmacies. À long terme, ces fibres seraient irritantes pour l'intestin et pourraient causer des malaises, comme des crampes, des ballonnements et même des saignements. Les meilleures fibres proviennent des aliments eux-mêmes. Celles que contiennent

les germinations sont de la meilleure qualité, ainsi que celles fournies par les algues et par les fruits et les légumes consommés crus.

Le psyllium indien provient d'une graine non raffinée et est un mucilagineux. Il absorbe une grande quantité de liquide, ramollit les selles et gratte gentiment la paroi de l'intestin sans provoquer la moindre irritation. Certes, il est dispendieux, mais il vaut largement son prix.

Plus vous consommez de fibres, plus vous devez boire d'eau. Le secret est là. Et c'est encore plus vrai avec le psyllium. Il faut comprendre qu'il ne s'agit pas d'un laxatif. Il se pourrait que votre mouvement intestinal soit à ce point faible que vous soyez incapable d'éliminer, même en consommant beaucoup de fibres. Si c'est le cas, vous gagneriez à prendre des combinaisons d'herbes pour l'activer. Vous trouverez du psyllium indien et des herbes dans les magasins de produits naturels.

VRAI OU FAUX
Le psyllium est une fibre alimentaire qui irrite l'intestin.

Vrai et faux
Tout dépend du psyllium utilisé. Le psyllium blond est raffiné. Pris durant une longue période, il risque d'irriter l'intestin, contrairement au psyllium indien qui est fait de fibres entières. Ce dernier, bien qu'étant plus coûteux, devrait tout de même être privilégié.

LES CINQ MEILLEURS MINÉRAUX POUR NEUTRALISER L'ACIDITÉ

Tous les minéraux ont une fonction essentielle, mais certains d'entre eux sont plus alcalins que d'autres.

Chacun des minéraux alcalins agit de façon particulière sur des organes qui lui sont «assignés», si l'on peut dire, tout en ayant un effet sur l'organisme entier, bien que dans une moindre mesure.

1. Le sodium est sans doute le minéral le plus alcalin. Son action se fait beaucoup sentir dans la région du tube digestif. Vous trouverez du sodium en abondance dans la gélatine, le céleri, la dulse (ainsi que dans d'autres algues), le persil, le jaune d'œuf, le poisson, les lentilles, les pois séchés, le bouillon de joint de veau, les asperges, les dattes, les figues, le chou vert frisé (kale), le petit lait, les graines de sésame et de tournesol, les légumes verts, les feuilles de betterave, de pissenlit et de cresson. (Les sels de table et de mer contiennent du sodium de source inorganique, qui n'est pas assimilable par l'organisme.)

2. Le potassium est presque aussi alcalin que le sodium et est en grande partie utilisé pour neutraliser les acides dans les muscles. On le retrouve surtout dans le chou vert frisé (kale), les choux rouges et verts, les pelures de pomme de terre (1,3 cm ou 1/2 po d'épaisseur), la dulse, les olives, le varech, le vinaigre de cidre

non pasteurisé, les laitues en feuilles, le chou de Bruxelles, le concombre, le cresson, le germe de blé, la polissure de riz, le poisson et le lait de soya.

3. Le magnésium est surnommé le grand relaxant. Son action se manifeste beaucoup au niveau du système nerveux. Le maïs jaune, tous les légumes jaunes en

général, le blé entier germé et le germe de blé, le bouillon d'os de veau, la gélatine, la dulse, les dattes, les figues séchées, le poisson, le lait de chèvre, les épinards, le riz sauvage, le seigle, le lait de soya, la bette à carde, le tofu, le cresson et la tisane de houblon, entre autres, en contiennent beaucoup.

4. Le calcium est beaucoup utilisé pour neutraliser les acides dans les os, entre autres. Parmi les meilleures sources alimentaires de ce minéral, on trouve les graines de sésame, les amandes, l'avocat, les légumes vert foncé, les algues (mousse d'Irlande, dulse et agaragar, entre autres), le cresson, les fromages non pasteurisés, la bette à carde, le chou vert frisé (kale), la gélatine, la polissure de riz, le poisson, le chou-fleur, le brocoli, les céréales comme le blé entier, le millet, le riz brun et l'avoine ainsi que les figues Black Mission.

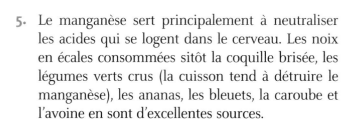

5. Le manganèse sert principalement à neutraliser les acides qui se logent dans le cerveau. Les noix en écales consommées sitôt la coquille brisée, les légumes verts crus (la cuisson tend à détruire le manganèse), les ananas, les bleuets, la caroube et l'avoine en sont d'excellentes sources.

OÙ TROUVER LE MEILLEUR CALCIUM?

Dans le monde végétal, il y a des aliments qui sont de véritables mines de calcium. Voici quelques-uns d'entre eux.

Le besoin total de calcium se situerait autour de 1 500 mg par jour, selon les personnes et leur âge. Voici l'apport en calcium par 100 g (3,5 oz environ) de plusieurs aliments.

• Les amandes, crues et bio de préférence, en contiennent approximativement 234 mg.

• Le sarrasin en offre autour de 114 mg. Lorsqu'on le fait germer, sa valeur en calcium et autres minéraux et vitamines décuple.

• Le collard, qui est un légume à feuilles vertes, en renferme autour de 250 mg, surtout lorsqu'il est mangé cru, la cuisson détruisant de beaucoup sa valeur nutritive.

• Le pissenlit (dandelion) en contient environ 187 mg, surtout dans les feuilles les plus vertes.

• Les noix du Brésil crues en offrent 209 mg. Mais pour bien libérer leurs éléments nutritifs, il faut les faire tremper plusieurs heures, comme toutes les noix et les graines crues, afin d'éliminer les phytates, ces protecteurs naturels qui les empêchent de pourrir une fois sorties de l'écale.

• Le chou vert frisé (kale) mangé cru, avec ses 249 mg, est un prince. Toutefois, si vous le faites cuire, son apport en calcium tombe à 187 mg.

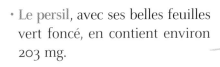

....

65

SANTÉ
PRÉVENIR

Les bons et
les mauvais
aliments

- Le persil, avec ses belles feuilles vert foncé, en contient environ 203 mg.

- La graine de sésame crue est la reine, avec ses 1 160 mg.

- Les pistaches crues, avec leurs 131 mg, constituent un bon choix.

- Le tofu est de plus en plus consommé. Sa valeur en calcium est de 128 mg.

- Les graines de tournesol crues, si populaires auprès des enfants, en contiennent environ 120 mg.

- Les feuilles vertes du navet consommées crues offrent 246 mg de calcium, contre 184 mg lorsqu'elles sont cuites.

- Le cresson en contient autour de 151 mg.

Pour conclure, nous dirons que tous ces aliments consommés frais, crus et bio contiennent une plus grande quantité de calcium et d'autres nutriments que les produits dénaturés par la cuisson ou cultivés dans des terres appauvries.

De plus, la quantité de minéraux et de vitamines contenue dans un aliment varie en fonction du sol dans lequel celui-ci a poussé et de la situation géographique. Par exemple, les terres situées près de la mer contiennent plus d'iode que les autres. Donc, les légumes qui y poussent en renferment également plus que la moyenne. Une terre ne peut donner que ce qu'elle a.

POURQUOI LA VIANDE ROUGE EST-ELLE ACIDIFIANTE?

Beaucoup de personnes réduisent leurs portions de viande rouge, de plus en plus conscientes des problèmes que celle-ci pourrait occasionner à leur organisme.

Pourquoi faut-il manger moins de viande rouge?

Outre la question du gras animal qui augmente le taux de cholestérol, beaucoup de personnes, dans notre société, souffrent de plus en plus d'acidité. Ce phénomène entraîne tout un cortège de maladies, qui se développent dans un organisme trop acide. La viande rouge que nous mangeons constitue le muscle de l'animal. Or, dans le corps de celui-ci, les sels minéraux se concentrent principalement dans les organes vitaux (les abats) et le cerveau, mais moins dans les muscles, qui sont par conséquent plus acides. En effet, ce sont les minéraux qui rendent le corps alcalin.

Alors, devrions-nous consommer de préférence les abats?

En principe, les abats seraient beaucoup moins acides que les muscles, mais si l'animal, au cours de sa vie, a été mal nourri et a reçu beaucoup d'antibiotiques, ces produits se seront aussi concentrés dans les abats, créant un problème de toxicité. Or, qui dit toxine dit acidité, encore une fois...

La protéine animale: une des causes de l'ostéoporose

Au cours du processus de digestion, la protéine animale crée de l'acide urique. Pour éviter que cet acide s'accumule dans l'organisme, notre corps va donc chercher à le neutraliser en utilisant ses propres sels minéraux. Notre réserve de minéraux alcalins, soit le calcium, le potassium, la silice, le magnésium et le fer en particulier, sera alors sollicitée. Si la demande est trop grande, le corps ira puiser en grande partie dans la réserve de calcium que constituent les os, et à la longue ceux-ci deviendront poreux, provoquant de l'ostéoporose chez les personnes prédisposées à cette maladie.

Pouvons-nous manger de la viande et être en bonne santé?

Oui, à la condition que les portions de viande soient petites et accompagnées de beaucoup de légumes verts, de crudités et, encore mieux, de germinations, afin que les minéraux contenus dans ces aliments soient suffisants pour neutraliser l'acidité de la viande. Une autre suggestion serait de consommer de la viande de provenance biologique. Plus l'animal s'est développé sainement, notamment s'il a été élevé en liberté et nourri dans les pâturages, plus sa chair sera de bonne qualité. Vous pouvez trouver de la viande biologique dans les bons magasins d'aliments naturels.

VRAI OU FAUX
La constipation peut, à long terme, affaiblir le système nerveux.

Vrai.
Lorsque l'intestin travaille fort pour évacuer les selles, il utilise votre réserve de magnésium (qui est l'élément prédominant de l'intestin). Or, le magnésium est aussi l'élément prédominant du système nerveux. Si l'intestin manque de magnésium, il ira en chercher dans cette réserve, affaiblissant le système nerveux par le fait même. Les légumes de couleur jaune, dont le maïs jaune et les courges, le son de riz et la polissure de riz sont remplis de magnésium et peuvent vous aider à avoir un intestin en bonne santé.

LES DEUX PLUS GRANDS DÉVOREURS DE CALCIUM

La caféine et le sucre

En fait, tous les aliments très acides sollicitent notre réserve de calcium pour neutraliser l'acidité qu'ils provoquent. La caféine et le sucre sont extrêmement acides, et ils causent d'autant plus de dommages que nous en consommons beaucoup, mais l'alcool, les viandes rouges, les boissons gazeuses et les fritures sont également très irritants. Tous ces aliments sollicitent notre réserve de minéraux, et surtout de calcium, afin d'être neutralisés. Si une personne ne consomme pas suffisamment de calcium de qualité dans son alimentation, son corps ira piger dans sa réserve, c'est-à-dire dans ses os et ses dents!

Comment peut-on savoir qu'on manque de calcium?

Voici quelques symptômes

L'amincissement des gencives ainsi que les gencives plates; les dents molles qui carient rapidement; la maman qui accouche et qui fait une carie ou qui perd une dent parce que le fœtus a épuisé sa réserve de cal-

SAVIEZ-VOUS QUE...

Le sucre et le gras sont des aliments qui engourdissent. Le gras réduit l'apport d'oxygène au cerveau et le sucre «dé-court-circuite» cet organe. Notons par ailleurs que consommer des sucres et des gras en grande quantité et régulièrement est souvent une façon inconsciente de fuir un ou des problèmes...

VRAI OU FAUX
La caféine est le pire ennemi du repos.

Faux.

Bien que celle-ci soit une des toutes premières causes
d'insomnie, selon la quantité absorbée, la peur mal gérée
pourrait être encore plus dommageable. Lorsque nous
avons peur, notre corps fabrique de l'adrénaline, ce qui
stimule les glandes surrénales. Les battements cardiaques
s'accélèrent, et la pression artérielle augmente. Cette
situation empêche le corps de trouver le repos, si bien que
celui-ci brûle continuellement ses réserves de minéraux.

cium; la guérison lente d'un «bleu»; une fracture
longue à guérir; des coupures, des cicatrices, des
problèmes de peau qui guérissent lentement; des
problèmes de poumons (il s'agit d'un organe qui a
besoin de beaucoup de calcium). Ce sont là quelques-
uns des symptômes d'une déficience non seulement
en calcium, mais en tous les minéraux qui permettent
de l'assimiler.

Les meilleures sources de calcium

La graine de sésame est la reine,
sans contredit! L'amande, les
légumes vert foncé comme le
chou vert frisé (kale), idéalement consommés en jus frais
et bien insalivés, et les algues,
particulièrement la dulse ou petit
goémon, sont aussi d'excellentes
sources de calcium.

VRAI OU FAUX
**Le calcium sert uniquement à assurer la solidité
de nos os jusqu'à la fin de nos jours.**

Faux.

Les poumons en particulier ont besoin d'une grande
quantité de calcium pour garder leur puissance. De plus,
c'est le calcium, minéral alcalin entre tous, qui, l'un des
premiers, entre en service pour neutraliser les acides
qui pénètrent dans l'organisme. En outre, c'est lui qui
aide à cicatriser les plaies, et il est essentiel au bon
fonctionnement du système nerveux.

POURQUOI LES PÂTES ALOURDISSENT-ELLES?

«Pourquoi est-ce que je m'endors après avoir mangé des pâtes?»

Les pâtes sont en fait des féculents, et pour brûler ce combustible, le corps a besoin d'oxygène en grande quantité. Si vous avez passé la journée à travailler dans un milieu clos comme une tour à bureaux ou un endroit sans fenêtre, le taux d'oxygène dans votre organisme est déjà bas. Or, la digestion des pâtes exige une grande quantité d'oxygène. Il est donc inévitable qu'après en avoir mangé vous tombiez de sommeil ou que vous vous sentiez complètement à plat, sans énergie, comme si votre cerveau était «éteint», pendant tout le temps de la digestion.

Comment remédier au problème?

Encore et toujours, vous devriez respirer profondément au grand air aussi souvent que possible dans la journée, que ce soit le matin, à la pause, ou encore après les repas du midi et du soir. Consacrez-y une bonne dizaine de minutes chaque fois et respirez en partant de l'abdomen. Il faut inspirer doucement et expirer de la même façon.

Si vous avez tendance à vous endormir après un repas de pâtes, même après avoir pratiqué la respiration en profondeur, il serait peut-être préférable de consommer votre repas de protéines le midi et de garder les féculents pour le soir. Vous devriez en outre toujours manger une salade verte ou des crudités au début du repas.

VRAI OU FAUX
Notre organisme réclame plus de sommeil l'hiver que l'été.

Vrai.
Le manque d'ensoleillement caractéristique de l'hiver
ralentit notre métabolisme. Par conséquent, toutes
les fonctions de notre corps sont elles aussi au ralenti.
Il nous faut donc davantage de sommeil pour récupérer.

Consommez également des aliments qui contiennent naturellement beaucoup d'oxygène,
comme la chlorophylle liquide, les algues vertes, les
légumes vert foncé, le jus de légumes verts et le jus
d'herbe de blé (pour ceux qui sont prêts à tenter
l'aventure).

De plus, lorsque c'est possible, préférez les pâtes
de grains entiers, qui sont beaucoup plus minéra-
lisées que celles de farine blanche. Elles auront tendance à vous donner une énergie plus égale et pour
plus longtemps.

LES ALGUES, ALIMENTS DE L'AVENIR?

Les algues d'eau salée, que l'on nomme aussi «légumes
de mer», et les algues d'eau douce sont des sources de
minéraux et d'oligoéléments rares et précieux, souvent absents des légumes qui poussent dans la terre.
Recueillis avec soin dans les endroits où l'eau est
cristalline, ou cultivés dans des bassins, ces super-
aliments ont le pouvoir de lutter efficacement contre
la détérioration prématurée de nos cellules.

Quelles sont leurs propriétés?
Pour vous donner un exemple, des chercheurs de
l'Université McGill auraient affirmé qu'«aucune substance connue n'agit sur le système immunitaire comme
l'algue bleue». Et je cite ceux de l'Université du
Mexique: «Après un mois, l'algue bleue enraye la perméabilité anormale de l'intestin, dont les conséquences

sont très néfastes pour la santé. Elle stimule certaines régions du cerveau et synchronise nos ondes cérébrales, ce qui assure une plus grande vivacité mentale.» Mais une grande variété d'algues serait tout aussi bénéfique. Notons en particulier la dulse, la kombu, le wakamé, la laminaire saccharine (mieux connue sous son nom anglais de *kelp*), la chlorelle et la nori (qui sert à faire des suchis). Ces algues renferment une grande quantité de minéraux aussi indispensables que le manganèse, l'iode, le potassium, le magnésium, le calcium et le chrome, en plus de protéines de grande qualité.

Les algues ont la réputation de lutter contre les radiations, de protéger contre la pollution, d'absorber la radioactivité et les métaux lourds et de stimuler le système immunitaire. Les algues vertes contiennent une grande quantité de chlorophylle, ce qui veut dire qu'elles oxygènent les cellules en profondeur, luttant ainsi contre les cellules cancéreuses.

Les personnes qui demeurent dans des milieux urbains ou dans des endroits très pollués ont tout avantage à consommer des algues en capsule chaque jour comme supplément alimentaire.

Les maladies, les carences, les intoxications

LES QUATRE PHASES DE LA MALADIE

Normalement, avant d'être atteint d'une maladie fatale, le corps active plusieurs signaux d'alarme.

1. **Les maladies aiguës**

   Tout d'abord, l'organisme possède beaucoup d'énergie vitale et réagit fortement lorsqu'on lui fait subir de mauvais traitements, comme des excès alimentaires ou autres. Il élimine les toxines au moyen de rhumes ou d'inflammation. On parle alors de maladies aiguës, qui seraient des tentatives de l'organisme pour se nettoyer.

2. **Les maladies sub-aiguës**

   Lorsque nous contrecarrons l'action du corps en ayant recours à certains procédés pour éliminer les symptômes, les toxines s'accumulent dans l'organisme et, celui-ci, selon la force vitale de l'individu, fera une autre tentative d'élimination des déchets nuisibles en provoquant un autre rhume, qui sera probablement «soigné» afin d'en faire disparaître les symptômes encore une fois. Le corps, dans ces conditions de toxémie de plus en plus avancée, pourrait subir des maladies plus importantes, comme l'asthme, la grippe, la pneumonie, la bronchite. Ce sont des maladies sub-aiguës.

3. **Les maladies chroniques**

   Si le corps est à nouveau empêché de se nettoyer par toutes sortes de moyens pour enrayer les symptômes, la santé se dégrade, et l'organisme pourrait être atteint de maladies chroniques: diabète, bronchite chronique, migraine, etc.

4. **Les maladies dégénératives**
À ce stade, le corps n'a plus d'énergie vitale pour provoquer l'élimination des toxines. Celles-ci créent une toxémie grave qui pourrait se traduire par le cancer, la sclérose en plaques, etc. Entre la maladie aiguë et la maladie dégénérative, il peut s'être écoulé une vingtaine d'années, selon la constitution physique de l'individu. La bonne nouvelle est qu'avec un changement complet du mode de vie, le corps possède la capacité de se régénérer en quatre fois moins de temps qu'il n'en a pris pour dégénérer.

LES PRINCIPALES CARENCES ET LEURS SYMPTÔMES

Comment détecter rapidement ce dont souffre notre corps et où trouver les meilleurs remèdes?

Une personne qui est mince tout en ayant des muscles flasques manque sans doute de potassium. Les légumes verts et surtout leurs jus frais sont une des meilleures sources de cet élément.

Un manque de chlore se «sentira» par une haleine fétide. La personne dont l'organisme manque de ce minéral sera portée à transpirer beaucoup. Le *capra mineral whey*, un petit lait de chèvre déshydraté en vente dans les magasins d'aliments naturels, contient du chlore et plusieurs autres minéraux qui servent à rétablir l'équilibre de l'organisme.

Une personne au dos voûté et aux doigts tordus souffre presque sûrement d'un manque de calcium. Les légumes vert foncé, notamment le kale et l'épinard, servis en jus frais, ainsi que le lait de sésame ou d'amande sont des «bombes» de bon calcium pour l'organisme. Les gens qui ont du mal à organiser leurs pensées auraient sans doute besoin de manganèse. On le trouve surtout dans le gras végétal, en particulier dans les noix crues.

La carence en magnésium se manifeste par des tics nerveux, une grande nervosité, de la difficulté à tenir en place et de la constipation. On trouve ce minéral principalement dans les légumes jaunes, comme le maïs jaune, les courges jaunes, etc.

Le manque de silice provoque une multitude de symptômes: cire dans les oreilles, nez qui pique, picotements généralisés, perte de cheveux, peau très sèche, pellicules, inflammation du cuir chevelu, poils pubiens très secs et pubis qui pique, sclérose en plaques. Le sirop de son de riz, la tisane de paille d'avoine et le son de riz sont quelques-unes des meilleures sources de silice.

La plupart des gens consomment du sel de table ou de mer, très nocifs pour l'organisme, mais presque tout le monde manque de sodium organique, celui que l'on trouve naturellement dans les aliments et qui est un minéral essentiel à la santé. Une déficience en sodium se manifeste par la mélancolie, la dépression, les troubles de la mémoire, des souvenirs incomplets, l'apathie, l'indifférence, le jugement faussé, la difficulté à raisonner, l'acidité, les caillots sanguins et l'artériosclérose. On retrouve du sodium dans le *capra mineral whey*, dans les légumes, spécialement le céleri et le cresson, ainsi que dans la gélatine animale.

LA TERRE ET NOUS: DEUX ORGANISMES INTERRELIÉS

Ce que vit notre planète, nous le vivons aussi. Le corps de la terre et le nôtre fonctionnent de la même façon. La terre, tout comme nous, fonctionne par processus d'élimination. Voici quelques similitudes surprenantes.

Lorsque nous laissons notre organisme être atteint de toxémie, à cause du manque d'exercice, d'une mauvaise alimentation et d'une mauvaise élimination, en plus des pensées négatives, notre corps tente de se purifier en provoquant rhumes, grippes et bronchites. De fait, toutes les maladies qui finissent en «ite» seraient des réactions du corps, qui tente de se nettoyer. Elles sont donc des bénédictions (si nous savons être à l'écoute de la sagesse de notre corps).

La terre, tout comme notre corps, pour se libérer de son trop-plein de toxines (pollution), réagit par des «crises».

1. Les inondations ne sont qu'un exemple parmi les nombreuses manières dont la terre réagit. Par rapport au corps humain, elles peuvent s'apparenter au fonctionnement des reins et de la lymphe. On sait que l'eau lave la terre et la purifie, de la même façon qu'elle nettoie nos reins et notre lymphe. De plus, l'eau, en envahissant les sols, y dépose ses minéraux, qui sont ensuite absorbés par la terre.

 SAVIEZ-VOUS QUE...

Pour savoir si certains aliments ou quelque autre substance sont pour vous une drogue, posez-vous la question suivante: «Est-ce que je continuerais à manger tel aliment ou à absorber telle substance si je savais qu'elle va me rendre malade à long terme?» Si la réponse est oui, vous savez désormais à quoi vous en tenir.

2. Les grands vents (qui correspondent aux poumons de notre organisme) purifient l'air de la même façon que les respirations conscientes au grand air purifient nos poumons et tout notre organisme en les oxygénant en profondeur.

3. Les tremblements de terre, apparentés à la toux, servent à régénérer la terre. Quand une fissure se crée et produit des tremblements, la terre du sous-sol remonte à la surface et la terre du dessus tombe dans la fissure. De la belle terre vierge est alors disponible en surface.

4. Les éruptions volcaniques correspondent à notre peau. La lave qui vient du plus creux de la terre remonte à la surface et s'écoule sur le sol, l'enrichissant d'une grande quantité de matières organiques. Ne dit-on pas qu'une terre volcanique est une terre riche?

Donc, la prochaine fois que nous serons «victimes» de catastrophes naturelles, peut-être pourrions-nous envisager les choses autrement et considérer qu'après tout, notre planète ne cherche qu'à se purifier de tous les mauvais traitements que nous lui faisons subir. Ainsi perçus, les mouvements et les manifestations écologiques prennent tout leurs sens.

COMMENT SAVOIR SI L'ON EST INTOXIQUÉ?

On n'aime pas y songer, mais le temps froid régne chez nous plusieurs mois par année. Et, pour plusieurs d'entre nous, avec le froid vient le *cocooning*. Le corps devrait être préparé à entamer cette longue saison d'hibernation, afin d'éviter autant que possible les malaises qui surviennent durant cette période, notamment le rhume et la grippe.

D'abord, comment savoir si l'on est intoxiqué?

Si vous souffrez de maux de tête, si vous êtes fatigué sans raison, si votre nez coule fréquemment, si vous avez du mucus dans la gorge le matin en vous levant, si vous souffrez d'allergie ou d'asthme, si vous avez un surplus de poids ou si, au contraire, vous êtes trop maigre, si vous mangez des farines blanches, du *fast-food* ou du sucre, ou encore si vous buvez de l'alcool, votre organisme aurait tout intérêt à être nettoyé.

Comment s'y prendre?

Plusieurs solutions s'offrent à vous. Il y a d'abord, pour les braves, le jeûne intégral. Excellent pour certains, il doit être pratiqué sous haute surveillance médicale, idéalement dans une clinique spécialisée. Le professeur Arnold Ehret, spécialiste en la matière, nous dit que «le jeûne, c'est la table d'opération de la nature».

Une cure de jus verts est une solution moins drastique et pourtant très efficace qui permet d'évacuer les toxines et de se minéraliser en profondeur. Des cliniques offrent également ce genre de service.

Une autre solution serait de manger des germinations et de jeunes pousses et de consommer des fruits et des légumes bio crus pendant plusieurs jours, ce qui a un pouvoir désintoxiquant, surtout si vous buvez en plus du jus d'herbe de blé. Plusieurs cliniques au Québec offrent également cette cure.

Pour nettoyer votre organisme et l'alléger, vous pourriez aussi choisir de ne consommer que des jus verts, en bonne quantité, une journée par semaine. Toutes ces solutions doivent être adaptées à vos goûts, avec sagesse, selon votre état de santé. Les magasins d'aliments naturels offrent également d'excellentes cures toutes préparées pour nettoyer tous nos systèmes corporels.

Après la désintoxication, le système immunitaire sera plus efficace pour lutter contre les intempéries et les épidémies.

PROBLÈMES DE DIGESTION?

J'entends plusieurs d'entre vous répondre qu'ils n'en ont pas, car ils ne ressentent aucun malaise. Suivez-moi...

Pas besoin d'avoir mal pour ne pas digérer. Ainsi, 99,9 % de la population moderne souffrirait de mauvaise digestion. En fait, on pourrait affirmer que la plupart des problèmes de santé ont ce mal pour origine. Même avec une alimentation idéale, il est normal de ne pas digérer ses aliments à 100 % et de produire un minimum de toxines. Le corps est ainsi fait qu'il doit donner à ses émonctoires (organes d'élimination que sont les reins, les intestins, les poumons et la peau) des substances toxiques à éliminer pour s'activer.

Mais alors, où est le problème?

Avec l'abondance alimentaire dont nous jouissons aujourd'hui, et qui est relativement récente dans notre histoire, nous mangeons maintenant des aliments tellement cuits et dénaturés que nous surchargeons nos organes d'élimination, ce qui veut dire qu'ils ont trop de toxines à éliminer pour leurs capacités.

Quelques-unes des conséquences

Pour donner quelques exemples, les protéines non digérées vont irriter les tissus où elles se déposent. Si c'est le poumon qui est victime de ce phénomène, il va se défendre en produisant du mucus. À long terme, ce mucus accumulé pourrait provoquer soit de l'asthme, soit des bronchites à répétition, qui sont des tentatives du corps pour se débarrasser de ces sécrétions qui l'étouffent. En fait, les toxines s'accumulent toujours là où sont nos faiblesses héréditaires, car ces organes sont incapables de se défendre en se débarrassant des déchets.

Quelques symptômes de mauvaise digestion

L'asthme et les allergies seraient les problèmes de santé les plus courants causés par la mauvaise digestion. Les protéines dans les verres de contact, l'excès de mucus, les sinusites et les bronchites à répétition, les sécrétions en grosse quantité, les râlements que font entendre les enfants la nuit et/ou le jour, le nez qui coule tout le temps, la cire dans les oreilles, la constipation ou son contraire, des selles longues à évacuer et qui ne flottent pas seraient des signes de mauvaise digestion.

LES CINQ CAUSES MAJEURES DE LA CONSTIPATION

Maladie de civilisation, la constipation est tellement répandue que nous n'y portons plus guère attention, croyant régler nos problèmes intestinaux en consommant des laxatifs. Cependant, elle a de nombreuses conséquences. À nous d'en identifier les causes pour mieux y remédier.

Première cause

Le «Retiens bien!», qu'il soit causé dès notre plus jeune âge à l'école, où l'on nous demande «d'attendre à la récréation», au travail ou dans quelque autre situation où on ne peut pas soulager immédiatement notre intestin lorsque la nature le commande et que ses fonctions naturelles s'en trouvent ainsi perturbées. Les selles en attente s'accumulent près du sphincter, et comme ce sont des déchets acides, elles détruisent les terminaisons nerveuses envoyant le signal que c'est le moment d'évacuer.

Deuxième cause

Les facteurs génétiques. N'oublions pas que notre intestin hérite des lacunes dont souffraient nos ancêtres plusieurs générations avant nous. Souvent, nous venons au monde avec des intestins génétiquement faibles, dont l'irrigation nerveuse est déjà déficiente. Cependant, la bonne nouvelle, c'est que nous pouvons améliorer grandement le fonctionnement de l'intestin en adoptant un mode de vie approprié et en l'entretenant bien. L'influence de l'hérédité peut se renverser, à la condition que nous ne répétions pas les mauvaises habitudes de nos ancêtres.

Troisième cause

La posture de défécation. L'idée de s'asseoir sur des toilettes à la hauteur d'une chaise normale est tout à fait contraire aux besoins de notre anatomie. La meilleure position, c'est de s'accroupir en «petit bonhomme».

Cette position abaisse le bassin et étire le côlon. Les selles ont ainsi le champ libre pour être évacuées sans obstacle. Gardez donc près de votre cuvette un petit banc d'environ 15 cm (6 po) de hauteur sur lequel vous mettrez vos pieds. Quelquefois, un truc aussi simple que celui-là peut changer votre vie!

....
83

SANTÉ
PRÉVENIR

**Les maladies,
les carences,
les intoxications**

Quatrième cause

La consommation d'aliments dépourvus de fibres,

sans vitalité. Le pain blanc, le sucre blanc, les pâtes blanches, les produits laitiers en général et le blé non germé sont des aliments qui auraient tendance à susciter la production de beaucoup de mucus tout le long du tube digestif. Dans l'intestin, celui-ci durcit, devient très collant et ralentit le transit des selles.

Cinquième cause

Le manque d'exercice. Rien de mieux qu'une bonne marche rapide pour activer les fonctions de l'intestin. La sédentarité ralentit le métabolisme, et l'intestin n'est plus stimulé. Tous les organes deviennent paresseux. Marchez, faites du trampoline, pratiquez la technique Nadeau, la natation, n'importe quoi pour activer les fonctions de votre corps.

VOS INTESTINS FONCTIONNENT-ILS BIEN?

Sujet pas très glamour, mais incontournable lorsqu'on parle de santé intestinale. Son importance est telle qu'il vaut la peine de s'y attarder.

Quels sont les signes nous indiquant que notre intestin fonctionne bien?

L'état de nos selles est en général un reflet de celui de notre côlon. Lorsque celui-ci fonctionne vraiment bien, il produit une selle molle mais bien formée, qui s'élimine facilement, qui ne suscite pas le besoin d'utiliser beaucoup de papier de toilette, qui flotte sur l'eau et qui n'a pas d'odeur. Si votre intestin est vraiment en santé, il éliminera après chaque repas les aliments que vous avez consommés la veille.

Comment peut-on savoir si le repas qu'on élimine est celui de la veille ou s'il date de plusieurs jours?

Faites un test simple: mangez du maïs. Vous verrez celui-ci passer un jour ou l'autre. Vous saurez ainsi si vous éliminez suffisamment rapidement ou si le transit intestinal est trop long. Plus de 24 à 36 heures de distance entre le moment où vous mangez un aliment et celui où vous l'éliminez indiquerait que vous souffrez de constipation, même si vous éliminez régulièrement par ailleurs. Les selles qui restent trop longtemps dans le côlon peuvent provoquer un problème de toxémie à long terme.

Quelles sont les causes de la mauvaise odeur des selles?

Certaines personnes ne digèrent pas bien les aliments sulfureux, comme le chou-fleur, le brocoli, l'oignon et l'ail, entre autres. Il se forme alors dans leur intestin des gaz qui sentent le soufre. Dans le cas de «vraies» mauvaises odeurs, on pourrait comparer les matières qui se trouvent dans notre intestin à du compost. Ceux qui en ont déjà préparé savent que s'il fermente, il peut sentir très mauvais et de très loin, alors que s'il se décompose bien, il ne sent rien du tout. C'est une question de bonnes bactéries. Les personnes qui ont une mauvaise flore intestinale sont les hôtes de bactéries pathogènes qui créent de la fermentation et, par conséquent, des odeurs désagréables. Les bonnes bactéries encouragent au contraire la décomposition efficace du bol alimentaire. La consommation d'alcool provoque souvent beaucoup de putréfaction dans l'intestin, créant des selles malodorantes.

Où trouver les bonnes fibres?
Les bonnes fibres proviennent des aliments entiers eux-mêmes. Les meilleures sources de fibres sont les végétaux crus, les germinations et les algues. Les Africains ont le régime le plus riche en fibres au monde et, d'après des études comparatives, ils élimineraient jusqu'à 10 fois plus de matières fécales que les gens qui consomment des aliments raffinés et dénaturés de toutes sortes. Il est vrai qu'ils n'ont pas de restaurants *fast-food* à tous les coins de rue.

LES DANGERS D'UN MANQUE D'HYDRATATION

L'eau nourrit chaque cellule, chaque organe et chaque muscle, en plus de purifier le sang. Sans elle, nous mourrions, car elle est la principale composante de notre corps.

Nous avons tendance à attendre de ressentir la soif pour boire, ce qui est logique et naturel. Beaucoup d'entre nous ne consomment presque pas d'eau et ne s'en portent pas plus mal en apparence. Et pourtant...

Voici des signes associés à un manque d'hydratation

1. L'urine jaune foncé. Cela indique généralement que l'urine est trop concentrée par manque d'eau, à moins que vous ne consommiez certaines vitamines qui la colorent.

2. L'arthrite. Les articulations de tout le corps ont besoin d'hydratation. Un manque d'eau empêche les toxines de circuler, si bien que celles-ci se logent dans les endroits où il n'y a pas assez d'eau pour les entraîner vers les organes d'élimination.

3. Les calculs rénaux et les problèmes des voies urinaires pourraient être associés à un manque d'hydratation, laquelle devrait être obtenue au moyen d'une consommation abondante de bonne eau pure.

VRAI OU FAUX
Tout le monde devrait prendre l'habitude de terminer sa douche par de l'eau froide.

Faux.
Il est vrai que c'est une excellente habitude à prendre pour les gens qui sont en bonne santé, car l'eau froide fouette le sang et active la circulation. En revanche, les personnes qui ont le cœur fragile ou qui sont affaiblies par un malaise ou une maladie devraient s'en abstenir.

....

87

SANTÉ
PRÉVENIR

**Les maladies,
les carences,
les intoxications**

4. Selon des études chiropratiques, le manque d'hydratation pourrait causer des problèmes à la colonne vertébrale en raison du trop grand effort fourni par les muscles et les articulations, une condition appelée subluxation vertébrale.

Les cancers du côlon et de la vessie pourraient être une conséquence d'un manque d'hydratation sur une longue période.

5. La déshydratation entraîne des douleurs musculaires, de la fatigue, de la faiblesse, des maux de tête, des étourdissements, des maux de dos.

Quelle eau boire?

L'eau distillée est une eau pure à 100 % qui pénètre les cellules. L'eau de source devrait avoir un PPM peu élevé, au-dessous de 35 ou de 40 au maximum (les PPM sont indiqués sur les bouteilles).

Quel est le meilleur moment de la journée pour boire?

Boire un litre d'eau pure le matin en vous levant vous hydratera et entraînera les toxines accumulées dans votre organisme vers les organes d'élimination. C'est un bon moyen de lutter contre la constipation.

Il serait préférable de boire de l'eau une demi-heure avant les repas plutôt qu'après pour ne pas perturber la digestion.

Quelle quantité boire?

Divisez votre poids (en livres) par deux. Vous obtiendrez ainsi le nombre approximatif d'onces d'eau dont vous avez besoin chaque jour, qui doit être ajusté selon vos activités physiques et le climat dans lequel vous vivez.

L'ACIDITÉ, CE MAL DU SIÈCLE

Elle est la bête noire de la plupart d'entre nous et crée un terrain propice aux maladies. En effet, on sait que les maladies se développent toujours dans un organisme dont le pH est trop acide.

Parmi les grands responsables: les mauvais choix alimentaires

Notre régime alimentaire devrait comporter 80 % d'aliments alcalins et 20 % d'aliments acides. Or, pour la plupart d'entre nous, c'est le contraire. Les produits d'origine animale en général sont des aliments acides, alors que la majorité des végétaux sont alcalins. Les protéines sont généralement acides et devraient être consommées en toute petite quantité, accompagnées de beaucoup de crudités et de légumes, ce qui permettrait de respecter le ratio 80/20. Les aliments les plus acides sont les viandes rouges, l'alcool, les fritures, les aliments remplis d'agents de conservation chimiques, les gras d'origine animale et hydrogénés ainsi que les céréales raffinées. Les aliments qui alcalinisent le corps sont les végétaux en général et les germinations en particulier.

Autres agents acidifiants

La pollution de l'air et de l'eau, les bruits trop intenses, le manque ou l'excès d'exercice, les pensées sombres et la tristesse contribuent à acidifier l'organisme. En fait, plus une personne manque de minéraux en général, plus elle est vulnérable aux ravages causés non seulement par l'environnement, mais aussi par ses choix alimentaires quotidiens.

Pour alcaliniser l'organisme

En plus d'un changement de régime et d'habitudes de vie, les jus verts frais de provenance biologique ainsi que le jus d'herbe de blé consommés chaque jour seront de précieux alliés pour renverser la vapeur. Vous pouvez même faire une cure de plusieurs jours en n'absorbant que ces jus, à l'exclusion de tout autre aliment. Consommez chaque jour des germinations et des bouillons de légumes faits maison.

VOUS SOUFFREZ D'ARTHRITE?

Voici de petits trucs et une recette maison pour vous aider à éliminer, ou tout au moins à contrôler l'arthrite.

L'arthrite est un symptôme d'acidité, ce qui veut dire que vous manquez de certains minéraux, en particulier de sodium et de potassium, ce grand alcalinisant.

Que faut-il manger pour se minéraliser?

Pour soigner ce mal si répandu, il convient tout d'abord de corriger l'alimentation. L'habitude de manger beaucoup de viande, de pommes de terre et de pain devra être réduite à son strict minimum, sinon totalement éliminée, pour un certain temps du moins, et devra être remplacée par la consommation de beaucoup de jus verts frais ainsi qu'une grande quantité de germinations et de suppléments d'algues afin d'alcaliniser au maximum le système.

....

89

SANTÉ
PRÉVENIR
L'acidité,
ce mal
du siècle

Quel remède naturel pourrait soutenir l'élimination des acides?

Voici une recette de bouillon de pelures de pommes de terre facile à faire et qui ne coûte presque rien, tout en étant d'une grande efficacité pour éliminer les acides. Ce bouillon contient beaucoup de potassium, dont l'effet est de déloger l'acidité des cellules. En effet, la pelure de pommes de terre est remplie de ce précieux minéral, contrairement au milieu de ce tubercule, qui est acide. C'est la raison pour laquelle nous n'employons que la pelure pour concocter cette médecine on ne peut plus naturelle et combien efficace. En fait, les toxines s'accumulent toujours là où sont nos faiblesses héréditaires, car ces organes sont incapables de se défendre en se débarrassant de ces déchets.

BOUILLON DE PELURES DE POMMES DE TERRE
(n'utiliser que du bio pour obtenir de bons résultats)

INGRÉDIENTS
La pelure de 3 grosses pommes de terre, coupée à environ 1 cm (1/2 po) d'épaisseur.
4 carottes
8 branches de céleri
1 bouquet de persil frais
2 litres (8 tasses) d'eau pure

PRÉPARATION
- Mettre tous les ingrédients dans un grand chaudron avec un couvercle étanche. Débuter la cuisson et, lorsque le mélange commence à mijoter doucement, réduire le feu afin d'éviter la chaleur intense.
- Laisser mijoter 30 minutes sans soulever le couvercle une seule fois, afin de ne pas laisser échapper les minéraux volatils.
- Laisser refroidir complètement, toujours avec le couvercle. Filtrer, puis conserver au frigo et consommer environ 500 ml (2 tasses) de ce bouillon par jour, en faisant chauffer chaque portion jusqu'à ce qu'elle soit tiède.
- Boire en y ajoutant du *capra mineral whey* (en vente dans les magasins d'aliments naturels) à raison d'environ 5 ml (1 grosse c. à thé) par portion si consommé pendant plusieurs semaines.

DES SOLUTIONS POUR QUATRE PROBLÈMES FRÉQUENTS

Voici quelques problèmes courants ainsi que des trucs pour se soigner en douceur.

Diarrhée: prendre du psyllium indien plusieurs fois par jour à raison de 15 ml (1 c. à soupe rase) dans un grand verre d'eau. Boire rapidement. Diminuer la dose de jour en jour à mesure que les selles reviennent à la normale.

Le psyllium indien est un mucilagineux qui va retenir l'eau et former des selles compactes. Il peut également traiter la constipation, car il ramollit les selles trop dures. En vente dans les magasins de produits naturels. On peut aussi se le procurer en capsules (pour ceux qui seraient incapables de s'habituer à la texture).

Fièvre: celle-ci serait un moyen que le corps utilise pour se purifier de ses toxines. Si elle est trop élevée ou dure trop longtemps, consultez votre médecin, mais si elle est relativement basse, vous pouvez l'aider à accomplir son travail de purification en cessant de consommer des aliments solides et en ne buvant que de l'eau pure en quantité, des jus de légumes frais, des tisanes douces comme celle de menthe ou de framboise. Un lavement ou une irrigation du côlon pourrait également aider à faire un bon nettoyage interne

et contribuer à faire baisser la fièvre. Idéalement, restez couché jusqu'à ce que vous ayez recouvré la santé si vous pouvez vous le permettre, afin de soutenir l'action de l'organisme qui tente de se purifier.

Brûlure légère: appliquer du miel (non pasteurisé de préférence), de l'huile d'émeu, du gel d'aloès ou de l'argile sur la région blessée pourrait réduire la douleur et soutenir le processus de cicatrisation. Pour les brûlures graves, voyez un médecin.

Mal de tête: se coucher sur une surface dure inclinée, la tête vers le bas, aidera le sang à irriguer le cerveau. Vous vous sentirez rapidement reposé. Combien de temps par séance? Une dizaine de minutes, selon que vous êtes à l'aise ou non. N'utilisez pas cette méthode si vous souffrez de haute pression et relevez-vous immédiatement si vous vous sentez étourdi ou avez quelque malaise que ce soit.

LE MUCUS: AMI OU ENNEMI?

On «attrape» un gros rhume, on éternue, on crache, on mouche et on peste contre ce mucus qui nous irrite le nez et fait couler nos yeux. Pourtant, ce phénomène pourrait être considéré comme une bénédiction. Voyons pourquoi.

Un bon et un mauvais mucus?
Oui. Le bon mucus est clair, liquide, un peu comme la salive, alors que le mauvais mucus n'a pu être évacué de l'organisme et a durci avec le temps. C'est celui-là qui cherche à sortir au moyen d'un bon rhume, des sécrétions que l'on crache et de l'intestin.

Pourquoi le corps sécrète-t-il du mucus?
Le corps sécrète constamment du mucus pour se défendre contre les acides afin de protéger les parois internes de l'organisme. Le mucus est conçu pour

enrober les matières toxiques qui, autrement, endommageraient les cellules. Imaginez un peu: si les matières fécales, qui sont des déchets très acides, n'étaient pas enrobées de cette protection qu'est le mucus, la paroi de l'intestin serait constamment irritée! Et c'est ainsi dans tout le corps.

Pourquoi le mucus épaissit-il?
Normalement, le mucus est censé être éliminé à mesure qu'il est sécrété. Cependant, notre mode de vie, notamment notre alimentation, surcharge constamment notre organisme, et sa capacité à éliminer les toxines ne suffit plus à la tâche. Après un certain temps, le mucus ne peut plus être drainé. Il durcit alors de plus en plus et provoque de la congestion un peu partout dans l'organisme. On peut donc dire que le corps devient intoxiqué par son propre mécanisme de défense.

Devrait-on par conséquent «encourager» le rhume plutôt que de prendre des médicaments pour en masquer les symptômes?
Tant que le corps crache et mouche, il y a purification de l'organisme. Le problème pourrait survenir lorsque le mucus ne peut plus sortir parce que la congestion est trop grande. Le rhume qui dure deux semaines, qui donne mal aux sinus parce que tout est congestionné et qu'on est incapable de dégager pourrait engorger les bronches et les poumons.

 SAVIEZ-VOUS QUE...

Une peau saine élimine une grande quantité d'acide par jour. Pour que notre peau fonctionne bien, nous avons besoin d'aliments riches en silice, en potassium, en fer ainsi qu'en vitamines A et B. La tisane de paille d'avoine, les comprimés de luzerne, le sirop de son de riz, le brossage de la peau avant la douche du matin, les bains d'air frais et de soleil ainsi que le varech sont des outils efficaces pour assurer le bon fonctionnement de cet organe si précieux.

**Le mucus peut-il causer
de la constipation?**

Lorsque l'alimentation est parfaite depuis toujours, les selles sont en principe éliminées normalement et fréquemment, mais chez ceux qui sont habitués à manger des produits raffinés et du sucre, il peut s'être formé avec le temps une couche de mucus durci tout le long de la paroi interne de l'intestin. Ce mucus est collant et empêche les selles de glisser, si bien que la constipation s'installe de plus en plus. Il est cependant possible d'éliminer ce vieux mucus au moyen de cures spécifiques pour l'intestin. Cela demande un long travail, et l'alimentation doit aussi être révisée afin de maintenir la propreté interne après le nettoyage. Il faut souligner aussi que le mucus durci dans le petit intestin empêche les éléments nutritifs de passer à travers la paroi pour aller nourrir les cellules. À long terme, ce phénomène pourrait entraîner la déminéralisation et l'anémie.

UNE VITAMINE POUR LA SANTÉ DU CŒUR

La coenzyme Q10 a été découverte en 1957 par le Dr Frederick Crane, de l'Université du Wisconsin. À sa suite, plusieurs autres chercheurs ont continué à s'y intéresser. Tous s'accordent, semble-t-il, quant aux effets bénéfiques de cette vitamine sur la santé aussi bien de notre cœur que de tout notre organisme.

L'organisme a de la difficulté à la fabriquer lui-même; lorsqu'il prend de l'âge, il en produit jusqu'à 80 % moins. La coQ10 est avant tout un puissant antioxydant qui peut ralentir le processus de vieillissement en combattant les radicaux libres. On sait que la pollution sous toutes ses formes, les médicaments, les rayons ultraviolets du soleil, les radiations des appareils électriques et électroniques (ordinateurs, etc.), les prises électriques, la mauvaise alimentation, la fumée du tabac, l'obésité, le stress et les émotions fortes produisent une grande quantité de radicaux libres dans l'organisme. Ceux-ci ont sur nous le même effet que la rouille sur le fer ou que l'air sur la chair d'un fruit coupé. À cause de tous les polluants modernes, ils contribuent plus que jamais auparavant au vieillissement prématuré de notre organisme.

Pour combattre ces radicaux libres, nous avons besoin d'antioxydants. Or, la coQ10 est sans doute l'un des plus puissants d'entre eux.

Pour votre cœur

Le Dr Ray D. Strand, M.D., raconte dans son livre *Ce que votre médecin ignore de la médecine nutritionnelle pourrait vous être fatal*, que plusieurs recherches ont été effectuées sur les bienfaits de la coQ10. L'une d'entre elles, menée à l'Italian Multi-Center Trial par Baggio et Associates, touchait 2 664 patients ayant souffert d'insuffisance cardiaque. Le résultat de ces recherches aurait indiqué que «en absorbant de la coenzyme Q10, près de 80 % des participants à l'étude ont vu leur état de santé s'améliorer, et 54 % d'entre eux ont pu jouir d'importantes améliorations relativement à trois grandes catégories de symptômes».

Selon ce médecin, la prise de coQ10, en complément des traitements médicaux appropriés, ralentirait la progression des maladies cardiaques. Les personnes atteintes pourraient continuer à mener une vie normale ou satisfaisante à la condition qu'elles prennent ce supplément, celui-ci apportant un soutien au cœur afin qu'il accomplisse ses fonctions le plus normalement possible.

VRAI OU FAUX

Les fruits de mer en général contiennent beaucoup de cholestérol.

Vrai.

Ceux-ci doivent donc être consommés aussi rarement que possible, surtout qu'on a tendance à les cuire dans le beurre, qui est lui aussi une source de cholestérol.

Où trouver la coQ10?
Dans tout bon magasin d'aliments naturels, on pourra vous aider à trouver le meilleur produit possible. En ce qui concerne la posologie, un naturopathe ou un autre professionnel de la santé pourra vous conseiller afin que vous absorbiez les doses nécessaires.

UN POINT DE VUE NATUROPATHIQUE SUR DES QUESTIONS SOUVENT POSÉES

1. Que peut-on faire pour aider une personne qui souffre de goitre?

En premier lieu, elle pourrait adopter une alimentation contenant de l'iode. Les algues dulse, par exemple, en contiennent beaucoup, ainsi qu'un grand nombre d'autres minéraux.

Elle pourrait éviter de manger ou de boire des aliments froids, car cela pourrait épuiser à la longue la glande thyroïde.

Elle gagnerait à augmenter son métabolisme en faisant de l'exercice, car cela aide à absorber l'iode et les autres minéraux. Idéalement, elle devrait nettoyer ses intestins, car les problèmes de thyroïde pour-

VRAI OU FAUX
Les faiblesses héréditaires nous condamnent aux mêmes maladies que nos parents.

Faux.
Il est probable qu'un mode de vie semblable à celui de nos ancêtres entraînera des conséquences identiques à celles qu'ils ont subies, mais un changement complet incluant l'adoption d'une alimentation impeccable, des cures régulières, un mode de vie très sain comprenant de l'exercice régulier et une attitude positive aurait toutes les chances de renverser la vapeur.

raient être liés à un côlon intoxiqué. D'excellentes cures sont offertes pour nettoyer le côlon.

Si possible, elle aurait avantage à vivre en montagne, car la haute altitude favorise le bon fonctionnement de la thyroïde.

Enfin, il serait peut-être utile pour elle de consulter un psychothérapeute, car la thyroïde est la glande liée aux émotions.

....
97
SANTÉ
PRÉVENIR
Les maladies,
les carences,
les intoxications

2. Pourquoi certaines personnes éprouvent-elles de la difficulté à digérer les légumineuses?

Les légumineuses, si elles ne sont pas germées, sont acides, et l'estomac doit avoir une bonne réserve de sodium organique pour les digérer. Cela pourrait indiquer un manque d'acide chlorhydrique dans l'estomac. Le *capra mineral whey* (en vente dans les magasins d'aliments naturels), riche en chlore, en sodium et en plusieurs autres minéraux, consommé chaque jour, pourrait reconstituer la réserve de minéraux nécessaire pour digérer les légumineuses.

3. Pourquoi certaines personnes parlent-elles dans leur sommeil?

Cela pourrait être dû à un excès d'acide phosphorique, qui irrite les nerfs, ainsi qu'à une mauvaise digestion. Comme on l'a dit à la question précédente, le *capra mineral whey* est un excellent moyen de consommer des minéraux alcalins à peu de frais.

LE PISSENLIT: LA MEILLEURE CURE POUR LE FOIE

Voici un moyen d'offrir à vos organes un grand ménage du printemps sans vous ruiner et en toute sécurité.

L'une des meilleures herbes pour purifier le foie et dissoudre les pierres à la vésicule biliaire est le pissenlit. En fait, celui-ci rend les pierres aussi friables que du sable, et elles s'éliminent ensuite aisément par le tube digestif.

Pourquoi le pissenlit est-il aussi puissant?

Parce qu'il est extrêmement riche en potassium, mais surtout en sodium organique (pas celui qu'on trouve dans les sels de table ou de mer, mais celui naturellement contenu dans les aliments, qui n'est en aucun cas dommageable, bien au contraire). Ce minéral essentiel agit entre autres comme nettoyeur de l'organisme.

La feuille de pissenlit, qu'on appelle aussi dandelion, a une saveur douce au tout début du printemps et fait de délicieuses salades remplies de minéraux.

À mesure que la saison avance, la feuille devient de plus en plus amère et, par conséquent, contient de plus en plus d'oxygène, indispensable à une bonne digestion. Et c'est cette amertume qui, bien que difficile à apprécier pour plusieurs, rend cette plante si efficace pour purifier le foie et les organes digestifs.

Où le trouver?

Idéalement, au printemps, entre avril et fin juin, on le recueille dans les terrains vacants, où vous êtes sûr qu'il n'y a pas de produits chimiques sur le sol, ou sur votre pelouse si elle est vierge de tout «arrosage» chimique. Dès le début du printemps, utilisez les feuilles vertes pour vous faire des salades, des jus verts. Les racines servent aussi à faire des décoctions efficaces pour nettoyer votre foie. La fleur et la tige elle-même sont extrêmement amères et, par le fait même, très thérapeutiques! Sinon, on vend dans les magasins d'aliments naturels des cures de pissenlit toutes préparées qui peuvent vous rendre de grands services.

....

99

SANTÉ
PRÉVENIR

**Les maladies,
les carences,
les intoxications**

VRAI OU FAUX
Les émotions négatives, la peur et les pensées morbides sont aussi dommageables à notre santé qu'un mauvais mode de vie.

Vrai.
On croit souvent que ce qui se passe dans notre tête n'affecte en rien notre organisme. Au contraire, l'esprit et le corps sont intimement liés. La preuve, c'est que si vous subissez un choc psychologique ou recevez une nouvelle dramatique, tout votre corps en sera ébranlé: votre taux d'adrénaline grimpera en flèche, votre cœur battra très fort, et tout votre organisme sera en état de choc. Les pensées morbides, le ressentiment, l'esprit de vengeance créent de même des tensions qui se reflètent sur le plan physique, empêchant la libre circulation de l'énergie.

COMMENT SE NOURRIR LORSQU'ON EST MALADE?

Chacun a sa petite recette, dont le réconfortant bouillon de poulet. Voici d'autres suggestions.

Si vous souffrez d'un malaise qui vous tient au lit, comme la grippe, un bon moyen d'aider votre corps à se guérir serait de consommer uniquement des liquides pendant le plus fort de la crise. Des jus de légumes fraîchement extraits autant que possible, des bouillons faits avec de bons légumes frais qui auront mijoté dans l'eau et qu'on aura laissé tiédir avant de soulever le couvercle afin de ne pas laisser les minéraux disparaître avec la vapeur, du bouillon de pelures de pommes de terre (voir recette à la page 88) pour le potassium qu'il contient et qui aidera à drainer les acides.

Si vous êtes malade pendant une longue période, il serait sage de respecter les combinaisons alimentaires, car cela facilitera beaucoup votre digestion, et l'énergie ainsi économisée sera consacrée à la réparation de votre organisme. Ainsi, dans un même repas, combiner 70 % de légumes avec 30 % de protéines pourrait être un excellent choix. À l'autre repas, vous pourriez consommer 70 % de légumes et 30 % de féculents. La règle d'or, c'est de ne jamais consommer les féculents et les protéines au même repas, surtout en période de maladie. Et, bien sûr, on ne doit manger aucun sucre apres les repas, ne consommer aucune friture, cela va de soi, et éviter tout aliment ou boisson dénaturé.

De saines habitudes à adopter

RESPIREZ-VOUS BIEN?

La toute première énergie qui entre dans le système corporel de l'enfant, c'est une grande bouffée d'air qui pénètre dans ses poumons par la première inspiration. Et lorsque le corps meurt, la dernière chose qu'il fait est de pousser une longue expiration. Entre la naissance et la mort, un élément circule constamment dans le corps: l'air. On peut vivre plusieurs jours sans manger ni boire, mais seulement une minute ou deux sans respirer. Pourtant, cette fonction vitale est négligée, car on croit qu'elle s'exécute d'elle-même à la perfection. C'est sans compter les stress, qui font qu'on respire en surface seulement. Ne dit-on pas que la peur coupe le souffle?

Conséquences d'une respiration incomplète

L'organisme pourrait accumuler du (CO_2) (gaz carbonique) et produire des acides qui irriteront les tissus, entraînant un vieillissement prématuré et des tensions dans tout le corps. Sans l'oxygène transporté par l'air frais, nous ne pouvons pas absorber notre nourriture, car le métabolisme ainsi que l'énergie nerveuse indispensable aux fonctions digestives sont à plat.

Le manque d'air pur affecte donc principalement le système nerveux et cause beaucoup d'irritabilité. Le système cœur/poumons est aussi affecté par l'excès de (CO_2).

Autres symptômes d'un excès de (CO_2)

Irrégularité des battements cardiaques, épuisement nerveux, palpitations cardiaques.

Comment améliorer la situation?

Il est essentiel de prendre de grandes inspirations et d'expirer lentement au grand air, en gonflant l'abdomen, plusieurs fois par jour. Les respirations profondes pratiquées entre 3 h et 10 h du matin sont les plus chargées de force de vie (*prana*). Celles qui sont pratiquées après chaque repas, et tout spécialement le soir, élimineront l'excès de (CO_2) dans l'organisme et apporteront un repos vraiment réparateur tout au long de la nuit. Évitez les pyjamas qui empêchent la peau d'éliminer le gaz carbonique. Les tapis seraient également à éviter dans la chambre, car ils absorbent le (CO_2). Dormez toujours avec autant de fenêtres ouvertes que possible pour qu'il y ait une circulation d'air.

UN SECRET DE SANTÉ: MASTIQUER

Rares sont les personnes qui mastiquent suffisamment, c'est-à-dire en donnant 60 coups de mâchoire avant d'avaler une bouchée de nourriture.

Le processus de digestion des féculents commence directement dans la bouche grâce au travail d'un enzyme, l'amylase, sécrété dans la salive pendant la mastication.

Conséquences d'une mauvaise mastication

Les féculents (ou hydrates de carbone) qui ne sont pas bien mastiqués fermentent inévitablement dans le tube digestif, ce qui entraîne des gaz et des ballonnements. Cela crée de l'acidité dans tout l'organisme et provoque une intoxication. On sait que les maladies se créent toujours dans un corps dont l'acidité est trop élevée.

Les parties du corps les plus touchées seront celles qui sont les plus vulnérables à cause de faiblesses héréditaires, les organes faibles étant incapables de se défendre et de se débarrasser des déchets qui causent l'acidité.

L'asthme et les allergies sont les problèmes de santé les plus courants causés par une mauvaise digestion due à une mastication insuffisante. Les protéines qui s'accumulent dans les verres de contact sont aussi un signe de mauvaise digestion.

L'HÉLIOTHÉRAPIE OU LA THÉRAPIE PAR LE SOLEIL

Autant nous-même que la planète avons besoin du soleil pour être en bonne santé.

Mais quels sont ses précieux bienfaits?

Le soleil ouvre les pores de la peau par la chaleur de ses rayons, et sa luminosité accélère le métabolisme. Il provoque donc la sudation et l'élimination des toxines. En entrant à l'intérieur du corps par les pores, il agit comme bactéricide et germicide.

Lorsque le soleil entre par le plexus solaire (au niveau de la poitrine), il circule dans toutes les directions du corps humain par les nerfs, tonifiant ceux-ci. On peut donc dire qu'une personne en état de dépression, de peur ou d'angoisse retirera les plus grands bienfaits d'un bain de soleil.

Le soleil est également capté par le nerf optique, qui va directement au cerveau et passe juste à côté de la glande pituitaire. Celle-ci reçoit l'énergie solaire instantanément, ce qui active le métabolisme.

Sur une peau saine et bien hydratée, il y a naturellement une couche de bon cholestérol qui se transforme en vitamine D sous l'action de l'énergie solaire. On sait que cette vitamine est indispensable pour absorber le calcium.

105

SANTÉ
PRÉVENIR

De saines
habitudes
à adopter

De quelle façon l'utiliser pour notre bien?

Le soleil peut être notre meilleur ami ou notre ennemi le plus implacable. Les bains de soleil doivent être pris la peau nue avant 10 h 30 le matin ou après 16 h et chaque séance ne doit pas durer plus de 15 à 20 minutes. Commencer tout doucement par quelques minutes de chaque côté, et augmenter le temps d'exposition en vous assurant qu'il n'y a pas d'échauffement. Ne pas mettre de crème solaire ni de verres fumés.

Pour ceux qui ont la peau trop sensible, un bain d'air frais dehors sera aussi bénéfique qu'un bain de soleil, car l'air est chargé de lumière. Aller dehors en pleine nuit et se laisser caresser par le vent remplira la même fonction.

Quelles sont les erreurs à éviter?

L'exposition trop longue au soleil aura l'effet contraire à celui recherché et épuisera complètement votre système nerveux. Se faire rôtir sous le soleil ardent est la pire chose que vous puissiez faire, car en plus des dangers de brûlures, l'exposition prolongée vous vide de vos vitamines, minéraux et protéines, d'où l'épuisement ressenti.

COMMENT BIEN TRAITER VOS ORGANES D'ÉLIMINATION?

Nous avons quatre organes d'élimination, que l'on appelle aussi émonctoires. Aucun de ces organes n'est plus important que l'autre. Il est essentiel de savoir en prendre soin, car ils sont là pour éliminer les toxines de notre organisme au fur et à mesure qu'elles y pénètrent, de façon à ce que nous gardions un bon équilibre interne.

• La peau

Élimine les acides sous forme de vapeur, par la sueur notamment. Les vêtements synthétiques sont néfastes, en général, car ils empêchent la peau de respirer. Le chlore des piscines est aussi très mauvais pour la peau, car il l'assèche et bloque ses pores. Les crèmes dont on s'enduit nuisent également au libre travail de la peau. Les coups de soleil l'endommagent parfois gravement.

RECOMMANDATION:
Brossez-vous toujours la peau à sec avant la douche du matin afin d'enlever les peaux mortes et de libérer les pores. Les bains de vapeur deux fois par semaine aident à ouvrir les pores de la peau et à éliminer les acides, surtout pendant la saison froide.

• Les poumons

Éliminent le gaz carbonique et absorbent l'oxygène, qui sera ensuite transporté jusqu'aux cellules. Le gaz carbonique des autos est très néfaste pour les poumons, ainsi que le chlore des piscines, qui empoisonne les voies respiratoires, sans compter la fumée du tabac et la pollution industrielle.

RECOMMANDATION:
Pratiquez la respiration profonde au grand air chaque jour pendant une bonne demi-heure pourrait changer votre vie.

107

SANTÉ
PRÉVENIR

De saines
habitudes
à adopter

• Les reins
Éliminent l'acide urique sous forme liquide. Manger trop de protéines, boire insuffisamment d'eau, consommer de l'alcool, des boissons gazeuses, des jus de fruits et du sucre en trop grande quantité rendent très difficile le travail des reins.

RECOMMANDATION:
Commencez votre journée en buvant un litre d'eau pure, avant tout autre aliment. Cela aidera vos reins à éliminer les acides en plus d'hydrater vos cellules en profondeur.

• Les intestins
Éliminent les substances solides (fibres, toxines, mucus durci, résidus alimentaires, etc). Les farines blanches, le sucre raffiné, les aliments trop cuits ou pasteurisés et le *fast-food* peuvent endommager l'intestin.

RECOMMANDATION:
Mastiquez bien et mangez beaucoup de légumes crus pour profiter de leurs fibres, qui «balaient» l'intestin.

Si nécessaire, prenez du psyllium indien (en vente dans les magasins d'aliments naturels) le soir au coucher dans un très grand verre d'eau pour donner du volume aux selles afin qu'elles soient éliminées en douceur par l'action mucilagineuse du psyllium.

MAIGRIR POUR DE BON... LES CINQ CLÉS DU SUCCÈS

Qu'y a-t-il de plus déprimant que de reprendre les kilos que l'on a eu tant de mal à perdre? Voici cinq conseils santé pour leur dire adieu une fois pour toutes!

1. **La première clé: une bonne élimination**
Au lever, buvez avec rapidité un ou deux très grands verres d'eau tiède, davantage si vous le pouvez. L'eau entraînera les déchets et aidera les intestins à fonctionner de façon optimale. Au déjeuner, consommez uniquement des fruits frais et bien

mûrs, si possible de saison, afin de faciliter encore un peu plus l'élimination amorcée durant la nuit.

2. **Attention aux mélanges!**
Les mauvaises combinaisons alimentaires causent des digestions incomplètes, et donc des gaz, des ballonnements et une élimination laborieuse des déchets métaboliques (toxines, graisses, etc.) Les fruits devraient donc être consommés au moins 30 minutes avant le repas, et jamais après. Les crudités se mangent en entrée. Vient ensuite un repas de protéines (tofu, viande, œufs, etc.) accompagné de légumes verts. Le repas d'hydrates de carbone (céréales, pâte, pain, pommes de terre, etc.) ne se mélange pas aux protéines, mais convient bien avec des légumes. Les aliments sucrés après le repas forment l'un des pires mélanges.

3. **Gardez l'estomac vide la nuit**
Mangez légèrement et avant 18 h. On maigrit plus facilement lorsque son estomac est complètement vide pendant la nuit. L'organisme accomplit plus aisément ses fonctions d'assimilation et d'élimination.

4. **Mangez cru**
Consommez beaucoup de végétaux crus, riches en éléments nutritifs: fèves et céréales germées, fruits et légumes, noix, graines, algues et de petites quantités d'huile végétale pressée à froid (olive, sésame, tournesol, chanvre, lin, noix). Plus vous mangerez de végétaux crus (et bio, si possible), plus vous serez susceptible de perdre du poids rapidement, car ces aliments vivants contiennent des enzymes qui désintègrent les cellules des graisses une à une. Celles-ci peuvent ensuite être éliminées

aisément. D'où l'importance de boire beaucoup d'eau au réveil.

5. **Une marche rapide de 30 minutes minimum**
Une marche rapide de 30 à 60 minutes par jour active le métabolisme. Et qui dit métabolisme élevé dit graisses brûlées! Votre perte de poids sera beaucoup plus rapide si vous faites régulièrement de l'exercice.

Et n'oubliez pas: maigrir n'est pas qu'une affaire de calories!

POUR ABSORBER LE CALCIUM: L'EXERCICE

Certains se croient à l'abri d'une carence en calcium parce qu'ils ont un régime équilibré et qu'ils prennent des suppléments de ce minéral. Voici des faits qui risquent de les troubler.

Un premier exemple flagrant des conséquences d'un manque d'exercice: les astronautes qui partent en mission dans l'espace et qui, à cause de l'état d'apesanteur, perdaient jusqu'à 30 % de leur masse osseuse. On peut bien se douter que leur régime alimentaire comporte tous les nutriments nécessaires, car il est préparé par des nutritionnistes. Pourtant, les astronautes, à leur retour d'un séjour de deux semaines dans l'espace, souffrent souvent d'ostéoporose à un degré parfois comparable à celui d'une personne de 70 ou 80 ans. On a donc, depuis quelques missions, installé une bicyclette stationnaire dans les navettes afin que les membres de l'équipage fassent de l'exercice tous les jours pour lutter contre la décalcification.

Un autre exemple spectaculaire: les personnes qui deviennent paralysées et qui doivent se déplacer en chaise roulante perdent très rapidement leur masse osseuse. La plupart du temps, le haut de leur corps, dont elles se servent pour faire rouler leur chaise, conserve une stature normale, contrairement à leurs jambes qui s'atrophient.

Quelle sorte d'exercice doit-on faire?

La première règle est de pratiquer des exercices de résistance régulièrement. En voici quelques exemples:

Faire du trampoline est excellent, car le mouvement de haut en bas, qui a un impact doux sur les articulations, procure un massage de toutes les cellules. Vous pouvez mettre de petits poids à vos poignets si besoin est et faire des mouvements vigoureux avec les bras dans tous les sens. Cet exercice pratiqué une demi-heure par jour au grand air ou dans une pièce très aérée est excellent.

Faire de la marche rapide une demi-heure par jour et lever des poids au moins trois fois par semaine est une autre option avantageuse.

La natation gagne la palme, car c'est un exercice complet qui ménage les articulations. Cependant, le chlore des piscines pourrait être dommageable pour l'organisme. L'idéal est de pouvoir pratiquer ce sport dans des cours d'eau propres.

LA FORCE NERVEUSE OPTIMALE, ESSENTIELLE À LA SANTÉ

Pour que les organes puissent se régénérer, il faut qu'ils reçoivent un influx nerveux ininterrompu.

Le système nerveux est connecté au cervelet, et si celui-ci est déficient parce qu'il manque de nutriments ou d'oxygène, il ne peut envoyer un influx fort aux nerfs qui, par conséquent, n'arrivent pas à bien transmettre celui-ci aux organes.

Comment prendre soin du cervelet?

En premier lieu, il est important de donner une nourriture appropriée au cervelet. Les aliments qui contiennent du phosphore, élément dont le cerveau a particulièrement besoin, sont les caviars en général – spécialement les œufs de morue –, les noix et les graines crues, la lécithine, le jaune d'œuf et les protéines.

111

SANTÉ
PRÉVENIR

De saines
habitudes
à adopter

1. Le cervelet a besoin de beaucoup d'oxygène pour bien fonctionner. Il est primordial d'aller faire des marches au grand air tous les jours et de prendre de bonnes respirations qui partent de l'abdomen.

2. Les nerfs partent du cervelet et descendent le long de la colonne vertébrale pour se rendre ensuite jusqu'aux organes. Il est donc important de s'assurer qu'il n'y a pas de blocage au niveau de la colonne, de nerfs coincés par des vertèbres déplacées ou quoi que ce soit d'autre qui puisse empêcher l'influx nerveux de passer librement et de se rendre jusqu'aux organes.

3. Un chiropraticien ou un ostéopathe pourrait vérifier l'état de votre dos et vous traiter si nécessaire.

4. Le massage est un bon moyen de se défaire des points de tension qui bloquent la libre circulation de l'énergie.

5. L'acupuncture agit sur les méridiens du corps et, par conséquent, sur le bon fonctionnement du système nerveux.

6. La psychothérapie pourrait être d'un grand secours à ceux qui perdent leur énergie vitale à cause de la peur mal gérée. Celle-ci draine l'énergie.

7. La planche inclinée est un bon moyen d'acheminer de l'oxygène au cerveau. Il s'agit de s'étendre sur une surface plane et inclinée en ayant la tête plus basse que les pieds, quelques minutes par jour, dans un endroit aéré.

Si vous souffrez de haute pression, cette pratique vous est déconseillée. Si vous éprouvez des étourdissements ou un inconfort quelconque en vous allongeant de cette façon, relevez-vous immédiatement et consultez un professionnel de la santé afin de déterminer si cette pratique est bonne pour vous.

Quelques causes d'épuisement nerveux: la mauvaise alimentation, la mauvaise élimination, le manque de sommeil ou un sommeil non réparateur, la faiblesse musculaire due à un manque d'exercice.

COMMENT AMÉLIORER LES PERFORMANCES DE VOTRE CERVEAU

La santé du cerveau dépend de la pureté du sang et de la quantité d'oxygène qu'il contient.

En fait, le cerveau est l'organe qui a le plus besoin d'oxygène, étant donné qu'il ne se repose jamais. Même quand nous dormons, il rêve. Il est toujours en train de penser à quelque chose. C'est un hyperactif qui travaille 24 heures sur 24.

Puisque c'est le sang qui nourrit le cerveau, il est essentiel que cet organe se construise à partir de nutriments de la meilleure qualité et qu'il contienne de l'oxygène en quantité. Voici quelques situations fréquentes dont sont victimes ceux qui travaillent dans des espaces clos:

Si vous travaillez assis toute la journée dans des cages de verre où il est impossible d'ouvrir les fenêtres, votre cerveau a de plus en plus de mal à fonctionner au fur et à mesure que la journée avance, car le sang qui l'irrigue manque lui-même d'oxygène. Il s'ensuit souvent de la léthargie, de la somnolence, une lenteur de pensée et des bâillements, ces derniers étant provoqués par un apport insuffisant d'oxygène au cerveau.

Tous les muscles se relâchent également parce qu'ils manquent d'oxygène. Vous cherchez alors une position confortable comme si vous vous apprêtiez à dormir, car votre corps n'a plus un tonus ferme.

Mais puisque la journée doit continuer, vous avez souvent recours à des excitants comme la caféine ou le sucre pour vous donner un bon coup de fouet et arriver à vous montrer efficace jusqu'au bout. Cependant, ces substances irritent le système nerveux sans lui donner davantage d'oxygène. C'est un peu comme fouetter un cheval épuisé.

....
113

SANTÉ
PRÉVENIR

De saines
habitudes
à adopter

Quelles sont les meilleures solutions pour corriger la situation?

Sortez dehors et prenez des res-pirations profondes au grand air durant votre heure de dîner et à la pause. Absorbez des supplé-ments de chlorophylle liquide, des jus verts aussi souvent que possible ainsi que des algues vertes en comprimés ou en cap-sules. Tous les végétaux verts  sont remplis de chlorophylle, donc d'oxygène. Mangez peu à midi et consommez alors un repas de protéines plutôt que de féculents, dont la digestion risquerait de monopoliser ce qui reste de votre réserve d'oxygène.

COMMENT ADAPTER VOTRE ORGANISME À L'HIVER

La saison froide exige de nous beaucoup d'énergie. Comment notre organisme peut-il passer à travers sans trop de difficulté?

Ce qui nous manque le plus durant la saison froide, c'est l'ensoleillement. C'est lui qui renforce toutes les fonctions de l'organisme humain en maintenant le métabolisme au maximum. Durant l'hiver, il est donc important d'aller dehors chaque jour sans lunettes de soleil, car les rayons solaires sont principalement captés par les yeux, même si le soleil n'est pas apparent.

Il existe également des lampes conçues pour reproduire le spectre solaire complet et qui apportent de grands bienfaits. Elles serviraient même à prévenir et à soulager la dépression saisonnière due au manque de lumière sur une longue période.

Du soleil en bouteille

Les germinations, les légumes, les jus verts ainsi que les algues sont comme du soleil en bouteille, car ces aliments sont remplis de chlorophylle. Par ailleurs, le piment de Cayenne a une excellente réputation: il nous permet de nous réchauffer, car il pousse le sang jusqu'aux extrémités des membres. Il est également un purificateur sanguin de tout premier ordre. Notez que vous pouvez le consommer en capsules si son goût est trop fort pour vos papilles gustatives.

L'exercice soutenu chaque jour, la consommation d'une grande quantité d'eau pure, d'eau distillée par exemple, une bonne cure de nettoyage de l'intestin, siège de toutes les maladies lorsqu'il est encombré, des bains de vapeur pour faire sortir l'acidité accumulée dans la peau et la prise de respirations profondes au grand air pourraient contribuer à garder votre organisme dans un bon état de propreté interne. Attention aux maisons trop chauffées, qui nous rendent frileux lorsque nous mettons le nez dehors.

FATIGUÉ D'AVOIR TOUJOURS LES PIEDS GELÉS?

Comment lutter contre le froid en hiver

Vous passez l'hiver à frissonner? Vous avez l'impression que vos doigts et vos orteils sont congelés? Voici sept trucs éprouvés qui aideront votre corps à s'adapter aux températures extrêmes.

115

SANTÉ
PRÉVENIR

De saines
habitudes
à adopter

1. Consommez des piments forts, spécialement du piment de Cayenne, qui est formidable pour réchauffer le sang et le faire circuler jusqu'aux extrémités. On peut prendre des capsules de piment de Cayenne comme supplément à chaque repas. La graine de citrouille est également excellente.

2. Matin et soir, frottez-vous vigoureusement avec un gant de crin: partez des extrémités et remontez vers le cœur.

3. Prenez une douche écossaise, idéalement le matin: faites alterner l'eau froide et l'eau chaude plusieurs fois, en terminant par la froide, le plus longtemps possible. Rien de tel pour vous réchauffer! (Non conseillé à ceux qui ont le cœur fragile.)

4. Chaque jour, faites de la marche rapide ou un exercice aérobique à l'extérieur pour aider votre sang à circuler et pour l'oxygéner. S'il fait trop froid, couvrez-vous bien et faites des exercices rapides et intenses devant une fenêtre ouverte pendant 30 minutes. Plus on s'emmitoufle et plus on est douillet, plus on devient frileux et vulnérable!

SAVIEZ-VOUS QUE...

L'origan est une herbe puissante pour lutter contre les malaises de l'hiver.

Consommé frais et cru, l'origan est rempli de minéraux alcalinisants, dont le fer, le magnésium, le calcium, le potassium et la vitamine A. Il favorise la digestion et est bénéfique au système respiratoire. De plus, c'est l'herbe qui contient le plus d'antioxydants (une substance qui combat les radicaux libres, responsables des symptômes prématurés du vieillissement), à la condition qu'elle soit consommée fraîche. L'origan est un excellent antiseptique, c'est-à-dire qu'il lutte contre les germes se trouvant sur la peau et les muqueuses. C'est également un expectorant, c'est-à-dire qu'il aide à expulser par la toux le mucus accumulé dans les voies respiratoires et les poumons. Cette herbe est donc efficace pour lutter contre les rhumes, les bronchites, l'asthme et les infections pulmonaires.

5. Consommez les aliments et les liquides à la température du corps. Quand la nourriture est trop froide ou trop chaude, l'organisme doit utiliser un surplus d'énergie pour la ramener à la température idéale afin que le processus de digestion puisse avoir lieu.

6. Contrairement à ce que l'on croit, on devrait manger plus léger en hiver qu'en été. Un excès de nourriture ainsi que des aliments trop gras ou de mauvaises combinaisons demandent un surplus d'énergie pour être digérés. Or, ce surplus, le corps ira le puiser dans les extrémités, là où cela n'affectera pas ses fonctions vitales. Résultat: des mains et des pieds froids.

7. Évitez de surchauffer votre demeure. Lorsque l'écart de température entre l'intérieur et l'extérieur est trop grand, le corps a du mal à s'adapter, ce qui provoque une hypersensibilité au froid. Mieux vaut baisser le thermostat de quelques degrés et mettre plusieurs pelures de vêtements.

Bien sûr, ces conseils ne sont pas valables pour les personnes malades ou très affaiblies.

Pour le bien-être de votre enfant

AUX FUTURES MAMANS...

Préparez sa venue

Vous prévoyez la venue d'un enfant? Même si c'est un projet que vous ne comptez réaliser que dans un an ou même plus, il serait avantageux de vous préparer dès maintenant à votre grossesse en éliminant en premier lieu les mauvaises habitudes, celles du tabac, de l'alcool, etc., mais aussi en faisant une cure de nettoyage de l'organisme, de tous vos organes en général et de votre intestin en particulier. Un bon naturopathe vous conseillera dans ce processus de préparation, et vous mettrez toutes les chances de votre côté pour avoir le plus beau bébé jamais vu.

Des produits à éviter

Futures mamans, évitez les boissons gazeuses, alcools, produits de nettoyage chimiques, remèdes chimiques et autres vendus sans prescription, produits pour les cheveux (que l'on trouve chez le coiffeur), bombes aérosol, savons et crèmes dont la liste d'ingrédients contient des mots que vous ne comprenez pas. Ces polluants peuvent avoir de graves effets sur le fœtus.

Attention à la caféine

Futures mamans, évitez la caféine durant la grossesse, car, au même titre que l'alcool, elle peut traverser le placenta et affecter le cerveau du fœtus, sa circulation et son système nerveux central. On trouve de la caféine non seulement dans le café, mais aussi dans le thé, le chocolat, les boissons gazeuses et les desserts au chocolat. Lisez les étiquettes attentivement, car la caféine se cache partout où l'on ne s'y attend pas.

L'allaitement naturel

Lorsque j'étais jeune maman de mes deux premiers bébés, j'ai souscrit à la mode du temps, qui ne privilégiait pas l'allaitement naturel. J'ai plutôt choisi de leur donner du lait de vache, ce qui était la méthode en vogue à l'époque. Mais la molécule du lait de vache est faite pour assurer la croissance rapide des veaux. Mon propos ici n'est pas de culpabiliser les mamans qui ont fait le même choix que moi, mais d'apporter une réflexion aux mères en devenir. Il n'y aura jamais rien pour remplacer le lait maternel, parfaitement adapté au bébé. Aucune formule de lait fabriquée en laboratoire ne pourra imiter, même de loin, la perfection du lait maternel, sans parler de la profonde sécurité de l'enfant qui se gave du lait et de la chaleur du corps de sa mère. Je le sais, car j'ai allaité mon troisième enfant pendant un an, pour notre plus grand bonheur à tous les deux.

Le lait de chèvre

Donnez-lui du lait de chèvre plutôt que de vache, car le chevreau a une taille et une croissance qui s'apparentent plus à celles de l'être humain que le veau, qui triple son poids en quelques semaines pour en arriver en peu de temps à la taille d'un bœuf. La molécule du lait de chèvre a donc une grosseur plus proche de celle du lait humain que celle du lait de vache, qui aurait tendance à former une ossature plus grossière chez l'enfant en croissance.

Des purées santé

Préparez vous-même les purées de bébé, sans sucre, sans sel et à partir de légumes et de fruits de culture biologique. C'est tellement simple à préparer avec un bon mélangeur! Les aliments frais sont toujours plus nourrissants et vivifiants que ceux congelés ou en pots. Ces derniers sont souvent exposés à la lumière des rayons des magasins, ce qui altère encore davantage leur qualité.

119

SANTÉ
PRÉVENIR

Pour le
bien-être de
votre enfant

POUR BIEN LES NOURRIR...

Bien choisir ses aliments

Il y a une règle de base pour savoir si un aliment est bon pour bébé: plus l'aliment est raffiné, moins il est nourrissant. Pour que l'enfant développe toutes ses potentialités, autant du point de vue physique que sur les plans mental et psychologique, donnez-lui des aliments complets: pains de grains entiers artisanaux qu'on trouve surtout dans les magasins d'aliments naturels, céréales entières, fruits frais et bien mûrs, légumes crus accompagnés de délicieuses trempettes en collation, de bonnes salades faites avec des huiles végétales pressées à froid. Tout bio est l'idéal!

Un bon petit-déjeuner

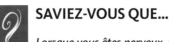

Parce que les enfants sont en pleine croissance, on n'insistera jamais assez sur l'importance de leur donner un solide petit-déjeuner. Celui-ci devrait se composer de céréales entières, que l'on trouve dans le pain intégral (tel que les pains de kamut, d'épeautre, de seigle, d'avoine et de millet vendus dans les magasins d'aliments naturels), de fruits frais et de protéines comme celles contenues dans le beurre d'aveline, d'amande, de citrouille ou de sésame, qui sont remplis de calcium. Évitez les céréales en boîte, qui n'ont en général de bon que le goût!

SAVIEZ-VOUS QUE...

Lorsque vous êtes nerveux, stressé ou triste, votre corps brule ses minéraux 10 fois plus vite que lorsque vous êtes dans un état de confiance et de paix intérieure. On voit ainsi que même si l'alimentation est responsable pour une large part de la santé, l'attitude mentale joue aussi un rôle primordial dans son maintien. En fait, l'une ne va pas sans l'autre.

Du lait de sésame

Donnez-lui du lait de sésame, rempli d'un excellent calcium entièrement assimilable, plutôt que du lait de vache dont la valeur est de plus en plus contestée dans plusieurs milieux.

121

SANTÉ
PRÉVENIR

Pour le
bien-être de
votre enfant

LAIT DE SÉSAME (recette)

INGRÉDIENTS
- **60 ml (1/4 de tasse) de graines de sésame bio et non décortiquées, trempées 4 heures (Jeter l'eau de trempage)**
- **Un grand verre d'eau pure**
- **Une datte ou 5 ml (1 c. à thé) de miel, au goût (Pour la saveur uniquement)**

PRÉPARATION
- Pulvériser le tout dans un bon mélangeur et filtrer ensuite à l'aide d'une étamine. Le liquide qui coule s'appelle le lait.

Choisir son pain

Mangez du pain de farines entières et bio, en évitant le blé qui provoque souvent des allergies et cause l'accumulation de mucus partout dans les voies respiratoires et les intestins. Les meilleurs pains sont ceux de seigle, d'avoine, d'épeautre, de kamut et de millet vendus dans les magasins d'aliments naturels ou dans les boulangeries artisanales.

Une boisson énergétique

Voici la recette d'une boisson énergétique transmise par le célèbre Dr Bernard Jensen. Excellente pour vos enfants et pour vous aussi.

BOISSON ÉNERGÉTIQUE (recette)

INGRÉDIENTS
- **15 ml (1 c. à soupe) de beurre de sésame ou de tahini**
- **1 petit verre de jus de fruits frais**
- **1/4 d'avocat**
- **Eau pure pour obtenir la consistance désirée**

PRÉPARATION
Passer le tout au mélangeur et servir immédiatement. Si l'enfant préfère un goût plus sucré, vous pouvez ajouter à la préparation un petit peu de miel non pasteurisé, ou une ou deux dattes.

Éloigner le sucre

Prenez garde au sucre raffiné. Extrêmement acidifiant et déminéralisant, il irrite le système nerveux, provoquant une humeur maussade, de l'hyperactivité, un sommeil agité, une mauvaise concentration, des caries dentaires et de l'embonpoint. Il détruit les minéraux alcalins, particulièrement le calcium, dont la réserve se trouve dans les os. Et on sait qu'un enfant en pleine croissance a besoin de plus de calcium que jamais pour bénéficier d'un bon squelette. Le sucre raffiné se cache partout: dans les petits pots pour bébé, dans les plats cuisinés, dans tous les desserts et même dans les boissons qu'on dit «santé». Lisez bien les étiquettes.

Diluer ses jus de fruits

Diluez les jus de fruits avec beaucoup d'eau afin d'éviter qu'une trop grande absorption de l'acidité contenue dans les fruits épuise sa réserve de minéraux, qui est encore en construction. On sait que les minéraux alcalins comme le calcium, le sodium, le magnésium et le potassium servent à neutraliser l'acidité dans l'organisme. Si ces minéraux sont trop sollicités, ce sont les os, le système nerveux, les muscles, le cerveau et l'organisme en général qui souffriront d'un déficit de croissance. Un enfant perturbé, nerveux et agité démontre des signes d'acidité.

123

SANTÉ
PRÉVENIR

Pour le
bien-être de
votre enfant

Des gâteries santé

Plutôt que de lui offrir constamment de la crème glacée, qui est souvent une bombe chimique (vous n'avez qu'à lire la liste des ingrédients pour vous en convaincre), un petit truc tout simple est de faire congeler des bananes bien mûres sans la pelure coupées en deux ou trois, et dans lesquelles vous aurez inséré un bâton de popsicle. Roulez ensuite ces bananes dans une sauce au chocolat ou au caroube, puis enrobez-les de noix de Grenoble hachées en tout petits morceaux ou moulues. Faites congeler dans des sacs hermétiques. Les enfants adorent ces gâteries et peuvent même participer à leur confection! Et c'est bon pour eux, mais ne le leur dites pas...

DES HABITUDES À ACQUÉRIR...

Éloignez-le de...

Éloignez-le de toute fumée secondaire de tabac et des endroits pollués en général. Les jeunes enfants sont beaucoup plus vulnérables que les adultes à la pollution de l'air, de l'eau, du sol et des aliments, leurs organes servant à la désintoxication n'ayant pas encore atteint leur plein développement.

Danger, radiations électromagnétiques

Tenez-le à bonne distance des postes de télévision et des micro-ondes, car ceux-ci, aussi bien que les câbles à haute tension, les ordinateurs et les appareils électroniques en général, émettent différentes fréquences polluantes (des radiations électromagnétiques pulsées) incompatibles avec l'organisme humain. Celles-ci pourraient causer des fuites d'énergie pouvant être responsables, entre autres, de la fatigue chronique.

Écouter sa faim

Habituez-le à écouter sa véritable faim et à s'arrêter de manger lorsqu'il est rassasié. Donnez-lui de petites portions et ne l'encouragez pas à terminer son repas en faisant miroiter un dessert. Vous l'encourageriez ainsi à manger par gourmandise et à voir le dessert comme une récompense. Cette habitude pourrait le suivre toute sa vie.

Bien mastiquer

Apprenez-lui à mastiquer jusqu'à ce que sa nourriture devienne complètement liquide dans sa bouche avant d'avaler. Faites-en un jeu! Il acquerra ainsi une habitude qu'il gardera toute sa vie et qui pourra même la lui prolonger. Il jouira en outre d'une santé excellente, car les maladies sont causées en grande partie par une mastication incomplète des aliments.

Attention aux antibiotiques

Si vous devez donner des antibiotiques à votre enfant, protégez sa flore intestinale en lui faisant prendre un supplément d'acidophilus. Il s'agit de bactéries amies de l'intestin. Une bonne façon de le faire est de lui donner du Bio-K, un produit qui a le goût du yogourt mais qui contient 50 milliards de cellules vivantes par pot. En vente dans les magasins d'aliments naturels.

Des vêtements santé

Habillez-le de vêtements de fibres naturelles, qui laissent respirer le corps sans entraver la libre circulation de l'énergie. Les fibres synthétiques pourraient créer, au même titre que les appareils électroniques, un champ électromagnétique incompatible avec l'organisme humain. Cela peut provoquer des fuites d'énergie, de l'irritabilité.

....

125

SANTÉ
PRÉVENIR

Pour le
bien-être de
votre enfant

Du grand air et du soleil

Faites-le jouer dehors chaque jour car, s'il manque de soleil, il pourrait souffrir d'une carence en calcium, même si son régime est par ailleurs excellent. La vitamine D fournie par la nature est produite par les rayons solaires qui, au contact de la peau, sont captés et accumulés par les terminaisons nerveuses. Combinés au bon cholestérol naturellement présent sur la peau, ils se transformeront en vitamine D, dont l'organisme a besoin pour bien absorber le calcium.

Se laver les mains

Habituez-le à se laver les mains plusieurs fois par jour, puis à bien les rincer et les essuyer: cela pourrait lui éviter d'attraper le rhume, la grippe ou des maladies infantiles.

Petits trucs maison écologiques

POUR VOTRE BIEN-ÊTRE À LA MAISON...

Attention aux produits chimiques

Pourquoi utiliser toutes sortes de produits chimiques pour nettoyer l'intérieur de vos maisons? Il existe des produits qui ne présentent pas de danger ni pour l'environnement ni pour vous et votre famille et qui sont tout aussi efficaces. Ils vous permettent en outre d'éliminer une bonne partie des vapeurs toxiques que vous respirez en faisant votre ménage. Où se les procurer? Dans tout bon magasin d'aliments naturels. Vous y trouverez tout ce qu'il faut pour nettoyer votre maison de fond en comble, faire votre lessive et laver votre vaisselle. On y offre également des savons et des produits d'hygiène dépourvus d'agents chimiques. Reconstruire un milieu sain s'accomplit petit geste par petit geste.

Le soda à pâte: un champion toute catégorie!

Le bicarbonate de soude remplace efficacement les produits chimiques de nettoyage. Il nettoie, désodorise, polit, enlève les taches et adoucit les tissus. Il peut être utilisé presque à l'infini, sur le vinyle, les carpettes, les meubles en cuir, l'argent et l'acier inoxydable, dans le réfrigérateur, les tuyaux, etc. Si vous n'êtes pas certain de pouvoir l'utiliser sur un objet précis, faites des tests sur de toutes petites surfaces.

Merveilleux et polyvalent bicarbonate de soude!

Vous en mélangez environ 60 ml (1/4 de tasse) dans 1L (4 tasses) d'eau, et il devient utile pour nettoyer les surfaces sales ou graisseuses. Vous le délayez avec une toute petite quantité d'eau, et il devient un abrasif. Sans eau, il est un bon désodorisant. Et tout cela sans pollution et à un coût minime!

• Le bicarbonate pour la lessive

Lorsque vous faites votre lessive, remplacez l'eau de Javel par 125 ml (1/2 tasse) de bicarbonate de soude ou 125 ml (1/2 tasse) de vinaigre blanc. Vous protégerez ainsi les nappes phréatiques et, par le fait même, l'eau de source que vous buvez! En prime, vos vêtements s'useront moins vite tout en étant bien propres!

129

SANTÉ
PRÉVENIR

Petits trucs
maison
écologiques

• Le bicarbonate pour les taches tenaces

Vous êtes aux prises avec des taches et des cernes sur vos vêtements? Pour les faire disparaître, plutôt que d'utiliser des produits chimiques ou d'envoyer les vêtements tachés chez le nettoyeur qui, lui, en emploiera certainement, vous pouvez essayer de les éliminer en fabriquant une pâte constituée de trois parties de bicarbonate de soude pour deux parties de vinaigre. Il sera toujours temps d'avoir recours au nettoyeur si les taches persistent.

• Le bicarbonate pour les odeurs dans le tapis

Votre tapis dégage de mauvaises odeurs? Il suffit de le saupoudrer de bicarbonate de soude et de passer l'aspirateur. On sait que le bicarbonate de soude a la capacité d'absorber les odeurs, aussi bien dans le frigo que sur la moquette.

Les désodorisants

Pour éliminer les mauvaises odeurs de votre maison, pourquoi ne pas simplement aérer suffisamment plutôt que de vaporiser du désodorisant chimique à base de parfum synthétique, que ce soit dans la salle de bains ou ailleurs? Aérer votre maison au moins 10 minutes par jour, même en hiver, purifiera l'atmosphère bien plus efficacement et de façon beaucoup plus sécuritaire que ne le font tous ces «parfums» dont on se sert et qui ne font rien d'autre que de masquer les odeurs en polluant encore davantage. Durant la saison froide, vous n'avez qu'à abaisser momentanément le thermostat pendant que vous ouvrez les fenêtres afin d'éviter le gaspillage d'énergie.

Des plantes pour purifier l'air

Une plante pour purifier l'atmosphère de votre foyer, la fougère, tout particulièrement, et les plantes d'intérieur en général sont très efficaces pour absorber la pollution à l'intérieur des édifices et des habitations. Cultivées en abondance, elles purifient l'atmosphère des spores et des bactéries présentes dans l'environnement intérieur. L'hiver, elles contribuent à augmenter le taux d'humidité dans nos habitats, prévenant l'irritation du nez et de la gorge. Mais attention! Il est important que les plantes soient très saines, car, dès qu'elles sont dans leur phase de dégradation, elles provoquent l'effet inverse.

Les tapis et les allergies

Tout le monde aime le tapis. Cependant, celui-ci, de même que les sous-tapis, est souvent une véritable mine de pollution chimique provoquant des allergies et des problèmes respiratoires. Conscients de cette situation, les fabricants auraient, semble-t-il, beaucoup amélioré certains de leurs produits pour les rendre plus sains. Cependant, lorsque vous achetez un tapis, vous devez préciser vos exigences au marchand, car il semblerait qu'ils ne fassent pas de publicité particulière à ce sujet.

Le vinaigre pour vos planchers

Pour nettoyer la plupart des planchers, sauf ceux qui sont cirés, un petit peu de vinaigre blanc (environ 125 ml ou 1/2 tasse) dilué dans un seau d'eau tiède pourrait être efficace. De même, un peu de bicarbonate de soude sur une éponge mouillée suffit pour enlever les plus grosses taches. Et si les résultats obtenus ne vous satisfont pas, vous trouverez dans les magasins de produits naturels des produits de nettoyage pour tous les besoins, qui ne présentent aucun danger pour vous ni pour l'environnement.

131

SANTÉ
PRÉVENIR

Petits trucs
maison
écologiques

Le savon de Marseille

Plutôt que d'utiliser toutes sortes d'abrasifs et de savons forts qui polluent l'air de votre maison, pourquoi ne pas vous servir tout simplement du savon de Marseille, qui est un mélange d'huile d'olive et de soude? Dilué dans de l'eau chaude, il se révèle excellent pour plusieurs travaux de nettoyage.

Le vinaigre, un insecticide

Besoin d'un insecticide? Vaporisez du vinaigre, tout simplement. Il semblerait qu'il éloigne même les animaux sauvages, mais ça, je ne pourrais le jurer, n'ayant pas eu l'occasion de l'expérimenter...

L'alcool à friction, un détachant

Saviez-vous que l'alcool à friction est un excellent détachant pour plusieurs surfaces. Il serait de beaucoup préférable aux détachants toxiques. Pourquoi ne pas essayer la solution la plus écologique en premier, et si ça ne fonctionne pas, il sera toujours possible d'utiliser un plus gros canon. En ce qui concerne les taches sur les vêtements, il existe des produits doux pour l'environnement, ne contenant aucun colorant, parfum ou phosphate, en vente dans les magasins de produits naturels, qui font un très bon travail. Je le sais, puisque je les emploie moi-même.

Les bouteilles en plastique

Alors que je suivais une cure à l'Institut Hippocrates, en Floride, l'un des codirecteurs nous a bien mis en garde contre l'eau vendue en bouteilles de plastique, nous suggérant d'acheter plutôt celle qui est embouteillée dans des contenants de verre. Selon l'Institut (et plusieurs recherches le confirment), le plastique, au contact de la lumière et de la chaleur, dégage des substances qui se répandent dans l'eau, lui donnant un goût désagréable en plus de la rendre toxique. Ça ne vaut donc guère mieux que de boire de

l'eau du robinet! De plus, le verre est un matériau plus écologique que le plastique.

Pour de l'eau pure

Vous consommez de l'eau de source plutôt que de l'eau du robinet? Il serait avantageux de faire installer un purificateur d'eau à votre lavabo, ce qui vous permettrait d'obtenir de l'eau complètement pure que vous pourriez non seulement boire, mais aussi utiliser pour la cuisson. À long terme, cette eau vous coûterait beaucoup moins cher que l'eau de source et surtout, vous éviteriez d'acheter des contenants de plastique qui ne sont pas biodégradables.

Pour vos chandelles

Les chandelles commerciales sont pour la plupart à base de paraffine, un sous-produit du pétrole. Elles sont remplies de teintures toxiques et d'odeurs artificielles. Les mèches contiennent souvent du plomb et du zinc, des métaux lourds dommageables. La bonne nouvelle est qu'il existe des chandelles à base de cire d'abeille auxquelles on a ajouté des huiles essentielles pour les parfumer. Vous les trouverez dans les boutiques spécialisées.

Efficacité des désinfectants

D'après un livre écrit par des médecins du centre médical de l'Université de New York, les désinfectants ne tueraient pas tous les germes, et leur efficacité serait temporaire. Leur action ne serait pas plus puissante que celle de l'eau et du savon ordinaire. De plus, ils seraient nocifs lorsqu'on les utilise sous forme de bombe aérosol. Ces substances chimiques pourraient être absorbées par la peau et endommager les organes internes et le système nerveux central, causant de l'irritabilité, de la dépression et de l'hyperactivité. Il semblerait que l'eau chaude et le savon suffisent à tuer beaucoup de bactéries et de germes.

....

133

SANTÉ
PRÉVENIR

Petits trucs
maison
écologiques

Les tissus naturels

Si vous décidez de faire recouvrir un meuble ou d'acheter un couvre-lit, des rideaux, etc., privilégiez les tissus de fibres végétales comme le coton, le lin ou le chanvre. Idéalement, les fibres ayant servi à confectionner ces matériaux devraient avoir été cultivées sans produits chimiques afin qu'elles ne rejettent pas leurs vapeurs toxiques dans la maison. Les tissus naturels «respirent» bien et offriraient en plus une protection contre les acariens, auxquels nous sommes souvent allergiques.

Les traitements anti-taches

Lorsque nous achetons un nouveau sofa ou un meuble rembourré, nous sommes très heureux que le vendeur nous offre de le traiter contre les taches et nous payons même pour ce supplément. Mais il semble que la majorité des produits utilisés pour le traitement des tissus contiennent des éléments chimiques qui polluent l'intérieur de notre maison. Il serait plus avisé d'acheter des meubles, des rideaux et des tapisfaits de fibres naturelles non traitées, pour notre bien et celui de notre famille.

Pour polir vos meubles

Pour entretenir vos meubles, ajoutez 250 ml (1 tasse) de jus de citron à 1 L (4 tasses) d'huile minérale et servez-vous d'un linge trempé dans cette solution pour les polir. Vous obtiendrez de beaux meubles tout en protégeant la qualité de l'air de votre foyer.

Des économies de chauffage

Un petit truc pour économiser le chauffage est d'ouvrir les rideaux le jour afin de laisser pénétrer le soleil dans la maison et de les fermer la nuit afin de créer un rempart supplémentaire contre le froid de l'extérieur. De plus, tout le monde sait qu'il est avantageux de baisser le thermostat de quelques degrés la nuit, mais peu d'entre nous le font. Pourtant, juste du point de vue du confort, il est beaucoup plus agréable de dormir au frais sous de bonnes couvertures, sans compter que l'air est ainsi beaucoup plus chargé d'oxygène, surtout si, en plus, vous ouvrez la fenêtre de votre chambre.

Les quantités de savon

En plus de vous servir de détergents biodégradables (disponibles dans les magasins d'aliments naturels, mais aussi dans les grandes surfaces), vous pourriez sans problème utiliser la moitié de la quantité de savon suggérée sur l'étiquette. En général, vous obtiendrez un résultat satisfaisant, surtout pour laver les vêtements qui ne sont pas vraiment sales ou tachés, mais qui ont juste besoin d'être rafraîchis. Même si les détergents sont biodégradables, il n'en reste pas moins qu'un écosystème déjà surchargé doit les absorber.

Pour l'argenterie

Pour nettoyer votre argenterie en toute sécurité pour vous et pour l'environnement, ajoutez 15 ml (1 c. à soupe) de sel et 15 ml (1 c. à soupe) de bicarbonate de soude à 1 l (4 tasses) d'eau. Laissez tremper vos ustensiles dans cette solution. Le laiton pourrait quant à lui être nettoyé avec des parts égales de sel et de farine, diluées dans un peu de vinaigre. Enfin, frottez le cuivre avec un mélange de sel et de jus de citron.

Les maladies contagieuses

Saviez-vous que se laver les mains à l'eau chaude soigneusement plusieurs fois par jour, en les savonnant et en les rinçant bien, pourrait «diminuer de 90 % les risques de propagation des maladies contagieuses»? Cependant, il faut également faire attention aux serviettes avec lesquelles on les essuie, car celles qu'on utilise dans la cuisine et qu'on ne lave pas assez souvent contiendraient encore plus de coliformes fécaux que celles de la salle de bains, ce qui n'est pas peu dire!

135

SANTÉ
PRÉVENIR

Petits trucs
maison
écologiques

POUR PRÉSERVER LES RESSOURCES...

Pensons à nos forêts

Sauf pour des documents officiels, pourquoi ne pas vous servir des deux côtés des feuilles de papier que vous utilisez? C'est le genre de petit geste qui finit par nous faire adopter de nouvelles habitudes plus respectueuses pour notre environnement. Pensez à la quantité de papier que nous gaspillons inconsciemment, parce que nous croyons que nos réserves sont inépuisables.

Économisons l'eau

Se prélasser dans un bain est sans doute très agréable, mais réalisons-nous que, ce faisant, nous utilisons environ 130 litres d'eau chaude, alors qu'en prenant une douche nous en utilisons environ 10 litres à la minute? Un bain ou une douche? C'est un pensez-y bien.

Mangeons moins de bœuf

Vous êtes préoccupé par le déboisement des forêts? Des portions gigantesques de la forêt amazonienne, qui est en principe le poumon de notre planète, sont détruites chaque jour, principalement pour créer des espaces où élever le bœuf qui se retrouvera dans votre assiette.

Sans nécessairement devenir végétarien, vous pourriez réduire votre consommation de bœuf d'un ou de quelques repas par semaine. Cela serait bénéfique non seulement pour vos artères, mais aussi pour l'environnement. C'est un petit effort individuel qui, s'il est pratiqué par chacun de nous, ferait une grande différence.

Recyclons nos cartons

Savez-vous à quoi servent les cartons que l'on recycle? On s'en sert pour produire principalement des boîtes de carton ondulé, des matériaux de construction (revêtements de toiture, isolants de cellulose), du compost et certaines des composantes des stylos. *Le Petit Futé*, publié par Équiterre, offre beaucoup d'information concernant la protection de nos ressources.

Des appareils écolos

Lorsque vous aurez besoin de remplacer l'un de vos vieux appareils ménagers, procurez-vous l'un de ceux qui affichent l'étiquette «Energy Star», laquelle garantit une efficacité énergétique jusqu'à 75 % supérieure à celle de vos anciens appareils. Par ailleurs, les machines à laver à chargement frontal utilisent 50 % moins d'eau que celles à chargement vertical.

Des ampoules efficaces

Lorsque vos ampoules ordinaires rendront l'âme, remplacez-les par des ampoules fluorescentes compactes. Un peu plus chères, elles durent cependant six fois plus longtemps et consomment quatre fois moins d'électricité.

Les papiers recyclés

Préférer des papiers recyclés: essuie-tout, papier hygiénique, papier mouchoir, papier à lettres et enveloppes, verres à café, carton, etc. Ils ont la même apparence et rendent les mêmes services que le papier ordinaire, tout en protégeant la nature. On en trouve maintenant dans tous les marchés d'alimentation.

137

SANTÉ
PRÉVENIR

Petits trucs
maison
écologiques

Les sacs à ordures

Les sacs à ordures biodégradables ont fait leur apparition un peu partout, principalement dans les magasins de produits naturels. Si vous n'en trouvez pas, demandez-en! Les magasins sont là pour répondre à la demande et se font un plaisir de nous satisfaire... surtout si l'on menace de leur retirer notre clientèle en cas de refus.

Des économies d'énergie

De petits gestes comme laver à l'eau froide, sécher à l'extérieur en été, fermer les lumières lorsqu'on quitte une pièce et garder en permanence un récipient d'eau au frigo (afin d'éviter de laisser couler l'eau du robinet pour la refroidir chaque fois qu'on veut s'en servir un verre) ont tous un impact important à long terme.

Des emballages inutiles

Maintenant, lorsque je magasine, je m'organise pour mettre le maximum d'achats dans le même sac. Si je fais plusieurs magasins et que la grosseur des objets le permet, je refuse l'emballage offert à chaque achat et je mets tout dans le même sac. C'est peut-être moins glamour que d'avoir plein de petits sacs bien enrubannés avec du papier de soie qui dépasse, mais c'est un bien mince sacrifice à côté de la satisfaction que j'ai de réduire ma participation personnelle à la détérioration des ressources forestières de la planète.

Calfeutrons nos maisons

L'hiver est la saison des fuites d'énergie. En fait, le manque de calfeutrage laisse s'échapper jusqu'à 40 % de la chaleur de votre maison. Cela fait beaucoup d'argent et d'énergie perdus pour chauffer l'extérieur... Si ce n'est déjà fait, calfeutrez vos portes et vos fenêtres afin d'emprisonner la chaleur à l'intérieur. En plus de réduire vos coûts de chauffage, vous ferez un beau geste pour l'environnement en économisant l'énergie.

Pas de circulaires s.v.p.

Si, comme moi, vous ne lisez pas les circulaires, pourquoi n'installez-vous pas un petit écriteau à l'extérieur, près de votre boîte aux lettres, indiquant «Pas de circulaire»? Nos forêts, ainsi protégées, nous en seront reconnaissantes et nous le rendront au centuple en nous offrant la beauté de la campagne et en produisant une grande quantité d'oxygène, pour notre plus grand bénéfice.

POUR KYOTO ET L'ENVIRONNEMENT...

Les gaz à effet de serre

L'accord de Kyoto nous demande de réduire les gaz à effet de serre d'une tonne par habitant. Pour visualiser ce que représente cette quantité, imaginez une maison de deux étages comprenant trois chambres à coucher. Notre voiture, si elle est utilisée fréquemment, est responsable de la moitié de cette tonne. L'autre moitié est associée aux besoins énergétiques de notre maison: chauffage, climatisation, électroménagers, déchets domestiques. Il me semble que le simple fait de recycler tout ce qu'on peut est déjà un bon commencement. C'est d'autant plus facile que toutes les villes offrent des bacs à recyclage et font la cueillette des produits qu'on y met. Penser à ne pas laisser le moteur de notre voiture tourner lorsqu'elle est arrêtée est aussi quelque chose de facile à faire. Rouler moins brusquement et faire moins de vitesse inutilement sont d'autres moyens faciles et à la portée de tous de réduire les émissions de gaz.

139

SANTÉ
PRÉVENIR

**Petits trucs
maison
écologiques**

Le défi UNE TONNE

Vous connaissez le défi Une tonne? Il s'agit d'un accord conclu entre plusieurs pays afin d'abaisser notre émission de gaz à effet de serre (GES) d'une tonne par habitant par année. Cela paraît beaucoup, mais un petit truc simple pour y contribuer est de respecter la limite de vitesse. Passer de 100 km/h à 120 km/h fait augmenter de 20 % la consommation de carburant, et les gaz à effet de serre augmentent en conséquence.

Éteignez vos moteurs

On croit souvent que laisser tourner le moteur de notre véhicule lorsque nous sommes stationnés pour quelques instants ne pollue pas l'atmosphère. Des études ont démontré tout le contraire. Il serait si simple de couper le moteur, ne serait-ce que pour une minute. En agissant ainsi, nous aiderions à améliorer la qualité de l'air que notre famille, nous-même ainsi que la collectivité respirons chaque jour. Qui plus est, nous aiderions à réduire les émissions de gaz à effet de serre néfastes qui perturbent notre climat.

L'éthanol

Il serait bénéfique pour l'environnement de choisir de l'éthanol-carburant, car celui-ci contient jusqu'à 10 % d'éthanol, un combustible renouvelable qui réduit les émissions de gaz à effet de serre. Toujours au sujet des autos, lorsque vous vous en achetez une neuve, recherchez l'étiquette «ÉnerGuide» apposée sur les véhicules écoénergétiques. Deux façons faciles de contribuer à la diminution des gaz à effet de serre.

Vérifiez vos pneus

Saviez-vous que des pneus bien gonflés entraînent une diminution de la consommation d'essence? Vous n'avez qu'à arrêter à un garage périodiquement afin de faire vérifier leur pression d'air, et le tour est joué. En résumé: conduire moins brusquement et moins rapidement sur les autoroutes est également plus économique. Des trucs qui sont bons pour votre porte-monnaie autant que pour l'environnement, surtout au prix auquel l'essence est vendue!

Réduisons le chauffage

Le fait de baisser votre thermostat de 1 à 3 degrés durant la nuit et lorsque vous partez au travail a un impact important sur votre facture de chauffage, qui baisse de 2 % pour chaque degré en moins. De plus, par ce simple geste, vous contribuez à réduire de 1/2 tonne par année votre production de gaz à effet de serre.

Économisons le pétrole

Quelques manières d'économiser le pétrole...
1- Choisissez des savons à vaisselle à base de végétaux, plutôt que ceux contenant du pétrole.
2- Besoin d'une nouvelle voiture? Ma prochaine voiture, c'est garanti, sera soit un modèle hybride, soit une voiture à très faible consommation d'essence.

Recyclons les canettes

Réalisons-nous que chaque canette de métal que nous laissons tomber négligemment dans la poubelle sera encore dans l'environnement au bout de 500 ans et plus? Les archéologues du futur feront des découvertes étonnantes! Pourtant, de nos jours, recycler est très facile. Il suffit de faire des gestes conscients qui ne demandent rien de plus que d'installer un récipient spécial destiné uniquement au recyclage dans la cuisine, le bureau, etc. Comme on le sait: la cueillette est effectuée par les municipalités. Petit effort pour chacun d'entre nous, mais dont l'impact à long terme est considérable.

141

SANTÉ
PRÉVENIR

Petits trucs
maison
écologiques

Le compostage

Le compostage à l'intérieur de votre maison, est-ce possible? Il existe maintenant des bacs spécialement conçus à cet effet, qui ne produisent ni odeur ni saleté, que vous pouvez mettre sous votre évier de cuisine ou dans n'importe quelle armoire. Vous réduirez ainsi de 15 % le volume de vos déchets qui se retrouvent dans les sites d'enfouissement. Pour vous procurer ces bacs, renseignez-vous auprès de l'organisme Équiterre.

Équiterre: 514 522-2000
info@equiterre.qc.ca

Évitons les plastiques

Lorsque c'est possible, choisissez de préférence des objets fabriqués à partir de matières naturelles comme le verre, le bois, le métal. De la même façon, évitez les objets en plastique et tout ce qui contient du vinyle, une matière qu'on trouve dans les revêtements de sol, les rideaux de douche, certains jouets, etc. La nature ne sait pas se défendre contre ces matières synthétiques, et vous (ou plutôt vos descendants) les retrouverez encore dans l'environnement dans 500 ans.

Des contenants réutilisables

Plutôt que d'utiliser ces contenants par ailleurs si utiles que sont les sacs à sandwich, à légumes et à congélation en plastique, qui créent beaucoup de pollution dans l'environnement, cette matière n'étant pas biodégradable, la solution serait de transporter et de conserver nos aliments dans des contenants rigides réutilisables que nous n'avons qu'à laver. Il y en a d'excellents grâce auxquels nous pouvons conserver nos aliments hermétiquement. Petits efforts quotidiens peut-être, mais qui sont très économiques en plus d'être compatibles avec l'environnement.

L'agriculture biologique

Certains agriculteurs consacrent leur vie et leurs connaissances à la production d'aliments plus sains, ce qui profite autant aux personnes qu'à l'environnement. Ce sont des gens qui se dévouent et travaillent en collaboration avec la nature plutôt que de lutter contre elle avec des produits chimiques, lesquels, lorsqu'ils sont utilisés, se retrouvent dans nos cellules aussi bien que dans l'environnement. Pourquoi n'encouragerions-nous pas les producteurs locaux et les fermiers pratiquant l'agriculture biologique? Même des viandes provenant d'animaux élevés sainement sont maintenant disponibles. Notre

santé ainsi que celle de l'environnement seront les premières à en bénéficier.

Attention aux matières dangereuses

Vous avez des médicaments périmés? La plupart des pharmacies acceptent de les recueillir et de les détruire sans danger pour l'environnement. De même, évitez de jeter les piles endommagées, les batteries, les huiles usées et les filtres dans vos poubelles ordinaires. L'Hôtel de ville de votre localité recueille normalement ces déchets dangereux.

Attention aux piles

Les piles jetables sont un véritable danger pour l'environnement, car elles contiennent des métaux extrêmement toxiques comme le mercure, le plomb et le cadmium. Plutôt que de jeter les piles usagées avec vos déchets domestiques, conservez-les dans un récipient hermétique et allez deux fois l'an les porter au centre de récupération de votre localité. Petit geste simple mais précieux pour l'environnement, et qui aura un impact considérable si nous le faisons tous.

Attention au mercure

Attention aux thermomètres brisés. Le mercure qu'ils contiennent est extrêmement toxique. La meilleure solution est d'essuyer le dégât avec du papier absorbant sans toucher d'aucune façon le mercure et le reste du thermomètre. Par la suite, on peut mettre ce papier ainsi que le thermomètre brisé dans un pot en verre fermé hermétiquement dont on disposera au moment de la prochaine collecte de déchets dangereux. Vous pouvez aussi appeler votre municipalité pour savoir comment vous en débarrasser de façon sécuritaire pour vous et l'environnement.

....

143

SANTÉ
PRÉVENIR

Petits trucs
maison
écologiques

Des couches de coton

Saviez-vous que les couches de coton reviennent à la mode? Celles d'aujourd'hui ont une jolie forme et s'attachent avec du velcro. Aux dires des mamans qui les utilisent, elles sont très faciles à nettoyer. On place dans la couche un petit carré jetable qui, une fois souillé, va dans la cuvette des toilettes. Le reste peut être mis dans la laveuse, tout simplement. On évite une quantité incroyable de pollution en choisissant les couches de coton. Et puis, on peut toujours se gâter un peu en employant des couches jetables au cours de nos sorties avec bébé.

Recettes santé

SALADE DE CHOP SUEY ET DE MENTHE FRAÎCHE

Donne 4 portions

Ingrédients
- 500 ml (2 tasses) de chop suey
- 500 ml (2 tasses) de laitue frisée émincée
- 12 feuilles de menthe fraîche
- 125 ml (1/2 tasse) de tamari
- 45 ml (3 c. à soupe) d'huile de sésame pressée à froid
- Jus de 1 lime fraîchement pressée
- 5 ml (1 c. à thé) de trempette à nachos moyennement forte

Préparation
Mélanger tous les ingrédients rapidement et servir.

MONTAGE DE DAÏKON ET DE TOMATES AUX TROIS SAUCES

Donne 2 portions

Ingrédients
- 1 daïkon moyen
- jus de 1 citron frais
- 2 tomates rondes
- 6 tomates séchées, réhydratées et essorées
- 125 ml (1/2 tasse) de sauce tamari
- 250 ml (1 tasse) de basilic frais
- 60 ml (1/4 tasse) de pignons ou noix de pin
- 60 ml (1/4 tasse) d'olives noires séchées au soleil, dénoyautées

Préparation
- Peler le radis daïkon et le couper en huit tranches très fines.
- Asperger les tranches de jus de citron. Réserver.
- Couper les tomates en six rondelles de 2,5 cm (1 po) d'épaisseur maximum. Réserver.

Première sauce
- Passer au robot les tomates séchées et la sauce tamari. Émulsionner et réserver.

Deuxième sauce
- Mélanger au robot le basilic et les pignons. Émulsionner et réserver.

Troisième sauce
- Passer au robot les olives séchées. Émulsionner et réserver.
- Faire un montage pour deux personnes en alternant le daïkon, une rondelle de tomate et la purée d'olive. Puis recommencer avec le daïkon, une rondelle de tomate et de la purée de tomate séchée.
- Terminer avec le daïkon, une rondelle de tomate, la purée de basilic et le daïkon. Servir.

COUPE DE TOMATES ET DE NOIX DU BRÉSIL

Donne 4 portions

Ingrédients
- 250 ml (1 tasse) de noix du Brésil
- 15 ml (1 c. à soupe) de kim chee (chou rouge lacto-fermenté), en vente dans toutes les épiceries
- 250 ml (1 tasse) de mangue
- 5 tomates, préférablement de type Roma
- 1 concombre anglais
- 35 ml (2 1/2 c. à soupe) d'huile d'olive
- 35 ml (2 1/2 c. à soupe) de vinaigre balsamique
- 1 pincée de sel

Préparation
- Passer au robot culinaire les noix du Brésil et le kim chee. Broyer légèrement.
- Ajouter la mangue et mélanger rapidement: le mélange doit conserver une texture granuleuse. Réserver
- Couper les tomates et les concombres en cubes

et les mélanger avec l'huile d'olive, le vinaigre balsamique et le sel. Réfrigérer 4 heures.

- Une fois que cette préparation a bien macéré, l'égoutter et l'ajouter au mélange de mangue et de noix.
  - Remplir les coupes et servir.

SALADE DE NAPPA

Donne 4 portions

Ingrédients

- 500 ml (2 tasses) de nappa, en fines tranches
- 500 ml (2 tasses) de pousses de pois mange-tout ou autres
- 15 ml (1 c. à soupe) de coriandre fraîche, hachée
- 125 ml (1/2 tasse) d'eau
- 60 ml (1/4 tasse) de noix de cajou
- Jus de 1 citron fraîchement pressé
- 45 ml (3 c. à soupe) d'huile de noix
- 15 ml (1 c. à soupe) de tamari
- 15 ml (1 c. à soupe) de salsa à nachos moyennement épicée

Préparation

- Dans un bol, mélanger le nappa, les pousses et la coriandre. Réserver.
- Au robot, mélanger tous les autres ingrédients.
- Bien émulsionner, puis en napper le mélange réservé. Servir.

SALADE DE TOMATES ET DE PAMPLEMOUSSE ROSE

Donne 4 portions

Ingrédients

- 4 tomates moyennes bien mûres
- 2 avocats citronnés
- 1 pamplemousse rose épluché, en quartiers
- 1/2 oignon rouge
- 60 ml (4 c. à soupe) de jus de citron
- Sel de mer, au goût
- 30 ml (2 c. à soupe) de gingembre haché
- 60 ml (4 c. à soupe) de sirop d'érable
- 15 ml (1 c. à soupe) de tamari
- 8 ml (1/2 c. à soupe) de miso clair
- 30 ml (2 c. à soupe) d'huile d'olive, première pression à froid

Préparation

- Couper les tomates et les avocats en quartiers de la même grosseur que les quartiers de pamplemousses.
- Tailler l'oignon en fines lanières, puis verser dessus 30 ml (2 c. à soupe) de jus de citron additionné de sel de mer.
- Passer au mélangeur le reste du jus de citron, le gingembre, le sirop d'érable, le tamari, le miso et l'huile, puis vérifier l'assaisonnement. Rectifier avec du sel de mer au besoin.
- Égoutter l'oignon et l'ajouter aux légumes.
- Verser la sauce sur les légumes en quartiers, puis mélanger délicatement deux ou trois fois avant de servir.

NOTE

Le pamplemousse rose contient du bêtacarotène et du glutathion, des agents super efficaces pour abaisser le taux de mauvais cholestérol. De plus, les spécialistes prétendent qu'il peut désactiver au moins trois types de substances cancérigènes.

SOUPE TIÈDE AU MISO ET AUX LÉGUMES

Donne 8 portions

Ingrédients
- 750 ml (3 tasses) d'eau de source ou de lait de soya
- 125 ml (1/2 tasse) de miso clair
- 125 ml (1/2 tasse) de carottes coupées en petits dés
- 125 ml (1/2 tasse) de céleri coupé en petits dés
- 125 ml (1/2 tasse) de chou vert coupé en petits dés
- 125 ml (1/2 tasse) de poivron rouge coupé en petits dés
- 60 ml (1/4 tasse) d'échalotes coupées en biseau
- 30 ml (2 c. à soupe) de gingembre frais, haché
- 2 gousses d'ail hachées
- 15 ml (1 c. à soupe) de tamari (facultatif)
- 30 ml (2 c. à soupe) de jus de citron
- Sel de mer, au goût
- 30 ml (2 c. à soupe) d'huile de sésame, première pression à froid
- 30 ml (2 c. à soupe) d'huile d'olive, première pression à froid

- 30 ml (2 c. à soupe) de miel
- Poivre de Cayenne, au goût

Préparation
- Chauffer l'eau jusqu'à environ 37 °C.
- Diluer le miso dans cette eau.
- Ajouter le reste des ingrédients, mélanger pour homogénéiser les saveurs et les goûts, et consommer tiède.

NOTE
Quand la température d'un mets avoisine les 37 °C, l'organisme dépense moins d'énergie pour l'absorber et l'assimiler. Comme 75 % de notre nourriture sert à maintenir la température interne de notre corps à 37 °C, en hiver il peut se révéler pratique de manger nos aliments tièdes (à cette température, on considère encore les aliments comme vivants).

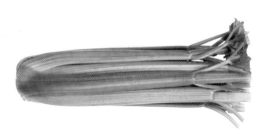

BRUSCHETTA AUX TOMATES ET À L'AVOCAT

Donne 2 portions

Ingrédients
- 3 tomates bien mûres, coupées en petits dés
- Sel de mer, au goût
- 15 ml (1 c. à soupe) de jus de citron
- 1 avocat coupé en petits dés
- 60 ml (1/4 tasse) d'oignon rouge haché finement
- 2 gousses d'ail hachées
- 30 ml (2 c. à soupe) de coriandre fraîche, hachée
- 45 ml (3 c. à soupe) d'huile d'olive, première pression à froid
- Piment jalapeño en petits dés, au goût

Préparation
- Saupoudrer les tomates de sel de mer, mélanger, puis mettre dans une passoire pendant une demi-heure pour les faire dégorger.
- Verser le jus de citron sur les dés d'avocat et mélanger pour éviter l'oxydation.

- Mettre tous les ingrédients dans un saladier et mélanger délicatement.
- Déguster sur des craquelins aux graines de lin ou sur vos croustilles préférées.

NOTE

Cette recette constitue un cocktail d'antioxydants (vitamines A, C et E) ayant pour effet de protéger la santé des artères. Par ailleurs, l'ail, en plus d'abaisser le taux de triglycérides et de cholestérol, est composé d'une quinzaine d'antioxydants bénéfiques. Il contient, en outre, une substance complexe (ajoène) qui éclaircit le sang et empêche la formation de caillots.

....

155

SANTÉ
PRÉVENIR

**Recettes
santé**

COUSCOUS DE QUINOA
À LA MENTHE

Donne 4 portions

Ingrédients
- 500 ml (2 tasses) de quinoa
- Eau de source pour le trempage
- 125 ml (1/2 tasse) de concombre en demi-rondelles
- 250 ml (1 tasse) de tomates en quartiers
- 60 ml (1/4 tasse) d'oignon rouge haché
- 125 ml (1/2 tasse) d'amandes trempées pendant 10 heures, égouttées
- 125 ml (1/2 tasse) de menthe fraîche, hachée finement
- 60 ml (1/4 tasse) de persil haché finement
- 5 ml (1 c. à thé) d'ail haché finement
- Sel de mer et piment de Cayenne, au goût
- 60 ml (1/4 tasse) d'huile d'olive, première pression à froid

Préparation
- Rincer le quinoa plusieurs fois pour le débarrasser de la mousse qui se forme au contact de l'eau.

Le mettre dans un bocal en verre et le couvrir d'eau de source, en ajoutant de l'eau si nécessaire au cours de la journée pour maintenir le niveau d'eau jusqu'à la surface du quinoa. Au bout de 6 à 8 heures, le quinoa aura germé. Bien rincer le tout.

- Mettre le quinoa germé et le reste des ingrédients dans un saladier en omettant l'huile d'olive. Mélanger délicatement et rectifier l'assaisonnement, au besoin.
- Verser l'huile d'olive sur la salade et mélanger délicatement.

BANANA SPLIT

Donne 6 portions

Ingrédients

- 250 ml (1 tasse) de noix de cajou sans écale
- 250 ml (1 tasse) de sirop d'agave ou de miel (non pasteurisé, de préférence)

- 2 bananes de grosseur moyenne
- 8 fraises
- Environ 10 ml (2 c. à thé) de vanille

Préparation

- Mélanger au robot culinaire les noix de cajou, le sirop d'agave (ou le miel), une banane, 4 fraises et la vanille.
- À l'obtention d'une consistance lisse, réfrigérer.
- Préparer un coulis en mélangeant une banane, quatre fraises et 250 ml (1 tasse) du mélange glacé obtenu à l'étape précédente.
- Servir en forme de boule, avec le coulis.

SALADE DE LENTILLES AUX NOIX DE PIN

Donne 4 portions

Ingrédients
- 500 ml (2 tasses) de lentilles trempées 6 heures, égouttées
- 250 ml (1 tasse) de noix de pin trempées 8 heures, égouttées
- 500 ml (2 tasses) de poivrons rouges coupés en petits dés
- 250 ml (1 tasse) de tomates coupées en dés
- 60 ml (1/4 tasse) d'oignon rouge haché
- 30 ml (2 c. à soupe) de ciboulette hachée
- 45 ml (3 c. à soupe) de jus de citron
- 1 pincée de piment de Cayenne
- Sel de mer, au goût
- 90 ml (6 c. à soupe) d'huile d'olive, première pression à froid

Préparation
- Faire germer les lentilles une journée dans une passoire recouverte d'un linge.

- Mélanger tous les ingrédients ensemble dans un saladier.
- Rectifier l'assaisonnement en ajoutant du sel et de l'huile d'olive, et déguster.

NOTE

Les lentilles, tout comme les épinards, contiennent du folate. Cette vitamine B baisse le taux d'une substance complexe appelée homocystéine, un acide aminé qui, à des taux élevés, endommagerait les vaisseaux sanguins et durcirait les artères. De plus, les gras mono et polyinsaturés de l'huile d'olive et des noix de pin représentent une bonne solution dans la prévention des maladies cardiovasculaires.

SANGRIA SANS ALCOOL

Donne 4 portions

Ingrédients
- 500 ml (2 tasses) de raisins rouges sans pépins
- 3 ml (1/2 c. à thé) de clous de girofle en poudre
- 10 ml (2 c. à thé) de cannelle en poudre
- Sirop d'érable ou miel, au goût
- 15 ml (1 c. à soupe) de toute-épice en poudre
- 2 oranges moyennes, coupées en fines tranches
- 1 pomme coupée en fines tranches
- 250 ml (1 tasse) d'ananas coupé en fines tranches

Préparation
- Passer les raisins au mélangeur. Passer au tamis le jus obtenu et réserver les fibres pour une autre utilisation.
- Ajouter les clous de girofle, la cannelle, le sirop et le toute-épice, et mélanger.
- Incorporer les tranches d'orange, de pomme et d'ananas au jus de raisins assaisonné.
- Laisser refroidir pendant 1 heure, puis déguster.

LASAGNE FORESTIÈRE AU PESTO DE POIVRONS, SAUCE PERSILLADE

Donne 4 portions

Ingrédients
- 1 poivron rouge
- 125 ml (1/2 tasse) de noix de pin
- 2 gousses d'ail (l'ail va au robot culinaire)
- 1 poivron jaune
- 12 pleurotes
- 1 poignée de persil
- 60 ml (1/4 tasse) d'eau
- Sel et poivre, au goût

Préparation
- Passer au robot culinaire le poivron rouge, la moitié des noix de pin et la moitié de l'ail. Assaisonner de sel, réserver.
- Répéter le procédé avec le poivron jaune. Réserver.
- Faire un montage de pleurote, de pesto rouge, de champignon et de pesto jaune. Finir avec un pleurote et tailler de façon à égaliser le montage si désiré.
- Passer au robot le persil, l'eau, le sel et le poivre, au goût, pour faire la sauce et dresser.

BOISSON AUX PETITS FRUITS

Donne 4 portions

Ingrédients
- 500 ml (2 tasses) de bleuets surgelés
- 500 ml (2 tasses) de framboises surgelées
- Sirop d'érable, au goût
- 250 ml (1 tasse) de jus de pomme non pasteurisé

Préparation
- Passer les bleuets, les framboises et le sirop au mélangeur, en ajoutant assez de jus de pomme pour permettre la rotation de la lame. Prendre soin de ne pas ajouter trop de jus de pomme, afin d'obtenir une boisson consistante.
- Consommer aussitôt pour éviter que les fruits encore partiellement congelés dégèlent complètement.

NOTE
Les bleuets, les framboises et les pommes sont d'excellentes sources d'antioxydants et de fibres. Ces deux catégories de substances ont pour effet d'abaisser les taux de gras et de radicaux libres, ce qui aide à prévenir les maladies cardiovasculaires.

BARQUETTE DE ZUCCHINI, MACÉDOINE DE LÉGUMES SAFRANÉS AU CHANVRE

Donne 2 portions

Ingrédients

- 2 zucchinis verts
- 1 poivron rouge
- 60 ml (1/4 tasse) de céleri-rave
- 60 ml (1/4 tasse) de navet blanc
- 1 g (1 pincée) de safran
- 125 ml (1/2 tasse) d'eau
- 60 ml (1/4 tasse) de graines de chanvre
- 1 gousse d'ail hachée
- 35 ml (2 1/2 c. à soupe) de persil haché
- Sel, au goût
- Jus fraîchement pressé de 1/2 lime

Préparation

- Couper le zucchini de façon à former de petites barquettes.
- Évider l'intérieur et conserver la chair.
- Couper le poivron, le céleri-rave, le navet blanc et la chair de zucchini en petits cubes.
- Faire tremper cette macédoine dans l'eau safranée (mélange de l'eau et du safran) et assaisonner de sel et de jus de lime. Réserver au frigo 2 heures.
- Une fois le trempage terminé, passer le tout dans une passoire et conserver le jus.
- Ajouter le chanvre au mélange de légumes et farcir les barquettes.

NOTE

Le jus safrané peut être utilisé comme coulis sur les barquettes.

POTAGE AU MAÏS ET AUX TOMATES

Donne 4 portions

Ingrédients
- 250 ml (1 tasse) de grains de millet trempés pendant 8 heures, égouttés
- Eau de source
- 500 ml (2 tasses) de tomates en dés
- 375 ml (1 1/2 tasse) de maïs en grains, frais ou surgelé
- 60 ml (1/4 tasse) d'oignon rouge haché
- 250 ml (1 tasse) de poivron rouge en dés
- 5 ml (1 c. à thé) de piments jalapeños en dés
- 1 ou 2 gousses d'ail
- 60 ml (1/4 tasse) de vinaigre de riz
- 60 ml (1/4 tasse) d'huile d'olive, première pression à froid
- Sel de mer au goût

Préparation
- Au mélangeur, moudre les grains de millet avec suffisamment d'eau de source pour obtenir une purée lisse.

- Ajouter la moitié des tomates et le maïs, et liquéfier au maximum.
- Ajouter le reste des ingrédients et bien mélanger. Si le potage est trop épais, ajouter de l'eau de source. Rectifier l'assaisonnement, au besoin.

NOTE

Cette recette convient à tous et spécialement aux diabétiques. Le millet qu'il contient est une bonne source de glucides (sucre et amidon) et de fibres, qui ralentissent le passage du sucre dans le sang. Les protéines du millet sont aussi de meilleure qualité que celles du blé et du riz. D'autre part, les vitamines A, B et C fournies par le poivron, les tomates et l'oignon aident à prévenir les lésions aux yeux, aux reins et aux vaisseaux sanguins causées par le diabète.

CRÈME DE FENOUIL À L'ANETH

Donne 4 portions

Ingrédients
- 1 bulbe de fenouil
- 500 ml (2 tasses) d'eau
- 1 gousse d'ail
- 1 branche d'aneth
- 15 ml (1 c. à soupe) de sauce à nachos moyennement épicée
- Sel, au goût
- Jus de 1 citron fraîchement pressé
- 60 ml (1/4 tasse) de noix de cajou

Préparation
- Liquéfier tous les ingrédients au robot culinaire et parfumer d'un filet d'huile de sésame.

COCKTAIL AU QUINOA ET AU CHANVRE

Donne 2 portions

Ingrédients
- 80 ml (1/3 tasse) de quinoa trempé 8 heures, puis égoutté
- 60 ml (1/4 tasse) de graines de chanvre trempées 2 heures, puis égouttées
- 2 tomates bien mûres, coupées en dés
- 1/3 de concombre de grosseur moyenne, coupé en dés
- 1/3 d'oignon rouge haché
- 60 ml (1/4 tasse) de menthe fraîche, hachée
- Sel de mer, au goût
- 45 ml (3 c. à soupe) d'huile de noisette, première pression à froid
- Eau de source

Préparation
- Réduire le quinoa au robot culinaire aussi finement que possible.
- Ajouter le chanvre et moudre finement.

- Dans le mélangeur, passer les tomates, le concombre, l'oignon, la menthe et le sel de mer. Mélanger le plus finement possible.
- Ajouter le quinoa et le chanvre, et mélanger encore à haute vitesse.
- Ajouter l'huile et homogénéiser la préparation.
- Pour une texture plus liquide, ajouter de l'eau de source.

CARPACCIO DE POIRES

Donne 4 portions

Ingrédients

- 45 ml (3 c. à soupe) d'huile de tournesol pressée à froid
- 25 ml (1 1/2 c. à soupe) de jus de lime frais
- 1 poignée de persil
- 4 poires
- 1 betterave rouge
- 1 échalote verte hachée
- 25 ml (1 1/2 c. à soupe) de graines de tournesol
- 15 ml (1 c. à soupe) d'estragon haché finement
- Sel, au goût

Préparation

- Faire la vinaigrette en émulsifiant l'huile de tournesol, le jus de lime et le persil.
- Assaisonner au goût.
- Couper une poire et la betterave en petits cubes.
- Ajouter l'échalote, l'estragon et les graines de tournesol.
- Assaisonner d'un peu de vinaigrette et réserver.
- Trancher 3 poires finement dans le sens de la largeur et retirer les pépins à l'aide d'un petit couteau.
- Déposer dans l'assiette.
- Verser un peu de vinaigrette afin d'assaisonner les tranches de poires.
- Déposer un peu de salsa au milieu des tranches et décorer de quelques feuilles d'estragon avant de servir.

SARRASIN ET POIS CHICHES AUX PETITS LÉGUMES

Donne 4 portions

Ingrédients

- 125 ml (1/2 tasse) de pois chiches ayant trempés dans l'eau pendant 12 heures, égouttés
- 250 ml (1 tasse) de sarrasin ayant trempé dans l'eau pendant 3 heures, égoutté
- 750 ml (3 tasses) de tomates bien mûres, coupées en petits dés
- 60 ml (1/4 tasse) d'oignon rouge haché
- 500 ml (2 tasses) de concombre coupé en petits dés
- 250 ml (1 tasse) de poivron jaune coupé en petits dés
- 60 ml (1/4 tasse) de menthe hachée finement
- 60 ml (1/4 tasse) de persil haché finement
- Sel de mer, au goût
- 1 pincée de piment de Cayenne (facultatif)
- 60 ml (1/4 tasse) d'huile d'olive, première pression à froid

Préparation

- Laisser germer les pois chiches une journée, à température ambiante, dans une passoire recouverte d'un linge humide.
- Faire la même chose avec le sarrasin.
- Dans un saladier, mélanger les légumes, le sarrasin, les pois chiches, la menthe et le persil.
- Ajouter le sel de mer, le piment de Cayenne et l'huile d'olive.
- Vérifier l'assaisonnement et le goût, et rectifier au besoin avant de déguster.

NOTE

Les pois chiches sont une excellente source de fibres, qui ont pour effet d'abaisser le taux de cholestérol. Par ailleurs, le mélange de céréales et de légumineuses peut à l'occasion remplacer la viande, ce qui est une bonne façon de prévenir les maladies cardiovasculaires, en raison d'une diminution de la consommation des gras saturés présents dans la viande.

BOULETTES AUX ABRICOTS ET AUX AMANDES

Donne 2 portions

Ingrédients
- 250 ml (1 tasse) d'abricots frais (ou secs trempés 2 heures, puis égouttés)
- 125 ml (1/2 tasse) d'amandes trempées pendant 8 heures, puis égouttées
- 375 ml (1 1/2 tasse) de dattes trempées pendant 2 heures, puis égouttées
- 125 ml (1/2 tasse) de flocons d'avoine
- 30 ml (2 c. à soupe) de noix de coco non sucrée, en poudre (facultatif)

Sauce
250 ml (1 tasse) de raisins rouges
500 ml (2 tasses) de fraises bien mûres

Préparation
- Couper les abricots en tout petits dés, puis réserver.
- Concasser les amandes grossièrement, puis réserver.

- Hacher grossièrement les dattes au robot culinaire, puis les mélanger avec les abricots, les amandes concassées et les flocons d'avoine.
- Faire des petites boulettes entre les mains, puis les rouler dans la noix de coco.
- Passer au mélangeur les raisins (sans pépins, sinon filtrer à l'aide d'une passoire pour ôter les pépins).
- Ajouter les fraises équeutées et réduire en une sauce onctueuse et veloutée.
- Servir avec les boulettes aux abricots et aux amandes.

....

171

SANTÉ
PRÉVENIR

Recettes
santé

NOTE

Les abricots, les fraises et les raisins rouges contiennent respectivement du bêtacarotène, du glutathion et de la quercétine, tous des antioxydants. Des noms peu poétiques pour ces défenseurs de notre organisme contre les attaques incessantes des radicaux libres. Les antioxydants aident à abaisser le taux de cholestérol en empêchant le mauvais cholestérol (LDL) de s'oxyder et de coller aux artères. Cependant, vu que 80 % du cholestérol humain est produit dans le foie, un taux de cholestérol élevé peut indiquer un foie engorgé. Le premier pas vers l'amélioration du taux de cholestérol serait donc un nettoyage périodique du foie.

CRÈME DE FRUITS ONCTUEUSE

Donne 3 portions

Ingrédients
- 250 ml (1 tasse) d'orange en gros dés
- 250 ml (1 tasse) de fraises
- 250 ml (1 tasse) de mangue en dés
- 250 ml (1 tasse) de papaye en dés
- 250 ml (1 tasse) ou plus de jus de raisins (raisins passés au mélangeur)

Préparation
- Réduire tous les fruits en purée au mélangeur avec le jus de raisins.

NOTE

Cette recette est un cocktail de vitamine C, qui aide à prévenir les dommages aux yeux, aux reins et aux vaisseaux sanguins. En plus d'être antioxydante, cette vitamine augmenterait l'efficacité de l'insuline.

SALADE DE LUZERNE ET DE BASILIC FRAIS

Donne 4 portions

Ingrédients
- 500 ml (2 tasses) de luzerne germée
- 500 ml (2 tasses) de laitue romaine émincée
- 10 feuilles de basilic frais
- 2 tomates Roma en rondelles de 1,3 cm (1/2 po) d'épaisseur
- 125 ml (1/2 tasse) d'huile d'olive
- 45 ml (3 c. à soupe) de vinaigre balsamique
- 15 ml (1 c. à soupe) de sel de mer ou de tamari, au goût
- 1 gousse d'ail hachée

Préparation
- Mélanger tous les ingrédients rapidement et consommer immédiatement.

TAPENADE D'OLIVES SÉCHÉES

Donne 4 portions

Ingrédients
- 250 ml (1 tasse) d'olives séchées dénoyautées
- 125 ml (1/2 tasse) de persil frais, haché
- 125 ml (1/2 tasse) d'huile d'olive, première pression à froid
- 3 ou 4 gousses d'ail hachées
- 30 ml (2 c. à soupe) de beurre de sésame
- 60 ml (4 c. à soupe) de jus de citron
- Sel de mer, au goût

Préparation
- Au robot culinaire, hacher les olives le plus finement possible avec le persil et l'huile d'olive.
- Ajouter l'ail, le beurre de sésame et le jus de citron.
- Saler et bien mélanger.

NOTE
Cette tapenade d'olives s'utilise comme un pesto ou en tartinade sur des croustilles de légumes. Couverte d'huile d'olive, elle se conserve des semaines au réfrigérateur.

MAKIS DE NOIX DE COCO ET DE CHANVRE AUX AUBERGINES MARINÉES

Donne 4 portions

Ingrédients
- 250 ml (1 tasse) de graines de chanvre
- 60 ml (1/4 tasse) de noix de coco râpée finement
- 30 ml (2 c. à soupe) de tamari
- 30 ml (2 c. à soupe) d'eau
- Jus de 1/2 citron fraîchement pressé
- 4 feuilles d'algues Nori
- 250 ml (1 tasse) d'aubergines marinées*
- 8 branches de ciboulette

Sauce**
- 15 ml (1 c. à soupe) de tamari
- 15 ml (1 c. à soupe) d'eau
- 10 ml (2 c. à thé) d'huile de sésame
- 10 ml (2 c. à thé) de graines de sésame
- 5 ml (1 c. à thé) d'ail haché

Préparation
- Mélanger le chanvre et la noix de coco avec le tamari et l'eau pour obtenir un mélange homogène.
- Assaisonner les aubergines avec le jus d'un demi-citron.
- Étaler le mélange de chanvre et de noix de coco sur une moitié de chaque feuille d'algues Nori.
- Ajouter les aubergines marinées et les tiges de ciboulette.
- Refermer le tout et rouler bien serré afin d'obtenir un maki bien ferme.
- Couper en 8 morceaux et servir avec la sauce.

* *Acheter les aubergines déjà préparées en pot si désiré, mais les égoutter dans une passoire pour enlever l'excès de marinade. Pour les faire soi-même, simplement mariner les aubergines dans une bonne huile végétale, d'olive ou autre, pressée à froid.*

** *Il est aussi possible d'acheter une sauce déjà préparée, en pot.*

FIGUES ET AMANDES MACÉRÉES DANS L'HUILE D'OLIVE

Donne 4 portions

Ingrédients
- 250 ml (1 tasse) d'huile d'olive, première pression à froid
- 15 ml (1 c. à soupe) de beurre de sésame
- 250 ml (1 tasse) de figues séchées trempées de 2 à 3 heures
- 125 ml (1/2 tasse) d'amandes trempées pendant 8 heures

Préparation
- Passer l'huile d'olive au mélangeur avec le beurre de sésame. Réserver.
- Bien égoutter les figues et les amandes.
- Les mettre dans un bocal hermétique et les couvrir de l'huile au sésame. Réfrigérer et consommer dans la semaine.

NOTE

Ce mélange de fruits secs et de noix peut sembler surprenant, mais il sera une agréable découverte autant du point de vue gustatif que nutritif. Inspiré d'une collation consommée dans les montagnes d'Afrique du Nord depuis des lustres, ce mélange énergisant aidait les Berbères à combattre le froid et la fatigue. Cette collation prête à manger est riche en bons gras mono et polyinsaturés et en fibres alimentaires, et contient presque autant de protéines que de glucides.

GAUFRETTES DE CAROTTES AUX BLEUETS ET AUX OIGNONS MARINÉS

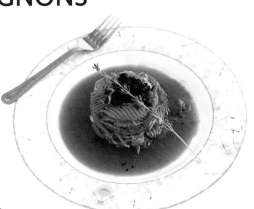

Donne 4 portions

Ingrédients
- 125 ml (1/2 tasse) de bleuets frais ou congelés
- 60 ml (1/4 tasse) d'huile d'olive ou autre, extra-vierge
- 500 ml (2 tasses) de carottes coupées en bâtonnets très fins, à peu près de la grosseur de spaghettis
- 250 ml (1 tasse) d'oignons coupés finement, marinés toute la nuit dans 35 ml (2 1/2 c. à soupe) de tamari et 35 ml (2 1/2 c. à soupe) de jus de citron fraîchement pressé. Égoutter.
- 1 gousse d'ail hachée finement
- 5 ml (1 c. thé) de salsa peu épicée
- Le jus de 1 citron fraîchement pressé

Préparation
- Mélanger les bleuets aux autres ingrédients et réfrigérer au moins 4 heures.
- Servir froid.

POTAGE AUX ÉPINARDS ET AU LAIT D'AMANDES

Donne 2 portions

Ingrédients
- 60 ml (1/4 tasse) de beurre d'amandes
- 30 ml (2 c. à soupe) d'huile de lin
- 500 ml (2 tasses) d'eau de source
- 125 ml (1/2 tasse) de patates douces coupées en petits dés
- 500 ml (2 tasses) d'épinards légèrement tassés
- 30 ml (2 c. à soupe) d'échalotes hachées
- 2 petites dattes ou 1 grosse
- 1 pincée de piment de la Jamaïque
- Sel de mer, au goût

Préparation
- Passer au mélangeur le beurre d'amandes, l'huile de lin et 250 ml (1 tasse) d'eau de source pour obtenir du lait d'amandes.
- Ajouter les patates douces et broyer jusqu'à l'obtention d'un liquide homogène.

- Incorporer les épinards, les échalotes, les dattes, le piment de la Jamaïque et le sel de mer. Broyer à nouveau
- Vérifier la texture et ajouter de l'eau de source au besoin, jusqu'à l'obtention de la consistance désirée.
- Au besoin, rectifier l'assaisonnement en ajoutant du sel de mer ou du piment de la Jamaïque. Déguster aussitôt.

NOTE

Les gras mono et polyinsaturés du beurre d'amandes auraient pour effet d'abaisser le taux de cholestérol. De plus, les acides gras oméga-3 contenus dans l'huile de lin aideraient à abaisser le taux de triglycérides et à empêcher ainsi la formation de caillots. En effet, un taux élevé de triglycérides dans le sang augmenterait les risques de maladies cardiovasculaires.

JUS DE LÉGUMES, SPÉCIAL CHOLESTÉROL

Donne 2 portions

Ingrédients
- 180 ml (3/4 tasse) de grains d'avoine trempés pendant 8 heures, puis égouttés
- 250 ml (1 tasse) d'eau de source, au besoin
- 1 orange
- 4 tomates moyennes bien mûres
- 30 ml (2 c. à soupe) de jus de citron
- 30 ml (2 c. à soupe) d'huile d'olive, première pression à froid
- 2 carottes moyennes râpées
- 30 ml (2 c. à soupe) de gingembre haché
- 5 ou 6 choux de Bruxelles
- 250 ml (1 tasse) de céleri en dés
- 80 ml (1/3 tasse) d'oignon rouge haché
- Sel de mer, au goût

Préparation
- Rincer les grains d'avoine, puis les passer au

mélangeur pour les broyer le plus finement possible, en ajoutant assez d'eau pour permettre la rotation de la lame.

- Râper finement la pelure de l'orange, puis l'éplucher.
- Ajouter graduellement les tomates, l'orange et son zeste râpé, le jus de citron et l'huile d'olive, puis les carottes, le gingembre, le chou et le céleri, et finalement les oignons rouges. Mélanger très finement. La qualité de ce jus dépend de sa texture qui, elle, dépend de la puissance du mélangeur et de la maturité des légumes. Plus le mélange est liquide, plus il sera savoureux.
- Vérifier la consistance, en ajoutant au mélange de l'eau de source au besoin, et l'assaisonnement, en ajoutant du sel de mer.

BALLOTTINE DE BROCOLI À LA SARRIETTE

Donne 4 portions

Ingrédients
- 3 brocolis
- Eau
- 2 gousses d'ail hachées
- 15 ml (1 c. à soupe) de psyllium
- 1 branche de persil hachée
- 1 tige de sarriette
- 2 ml (1/3 c. à thé) de muscade
- Sel, au goût

Préparation
- Parer les pieds de brocoli en les pelant, puis les passer au robot avec l'eau, l'ail, le psyllium, le persil, la sarriette et la muscade.
- Assaisonner de sel, au goût.
- Passer le reste des brocolis au robot et pulvériser au maximum, puis ajouter au mélange précédent.
- Rouler ce mélange dans une pellicule de plastique de façon à former une ballottine.
- Réfrigérer au moins 2 heures.
- Couper en rondelles et dresser en éventail.

PÂTÉ VÉGÉTARIEN AU FENOUIL, AU GINGEMBRE ET AU TAMARI

Donne 4 portions

Ingrédients
- 80 ml (1/3 tasse) de grains de kamut trempés pendant 8 heures, égouttés et laisser germer 1 journée
- 60 ml (4 c. à soupe) de tamari
- 125 ml (1/2 tasse) de courgette coupée en petits dés
- 125 ml (1/2 tasse) de courge musquée coupée en petits dés
- 125 ml (1/2 tasse) de bulbe de fenouil coupé en petits dés
- 60 ml (1/4 tasse) d'oignon rouge haché
- 1 grosse tomate juteuse ou 2 petites, coupées en petits dés
- 250 ml (1 tasse) de tomates séchées, trempées pendant 4 heures, puis égouttées
- 45 ml (3 c. à soupe) de beurre de sésame

- 30 ml (2 c. à soupe) d'huile de sésame, première pression à froid
- 30 ml (2 c. à soupe) de gingembre frais, haché
- Sel de mer et pâte de piments forts, au goût

Préparation
- Hacher le kamut au robot, le plus finement possible.
- Réserver dans un cul-de-poule et ajouter 30 ml (2c. à soupe) de tamari.
- Hacher la courgette, la courge, le fenouil et l'oignon au robot culinaire, le plus finement possible.
- Transférer cette préparation dans un mélangeur et ajouter les tomates fraîches et séchées, 30 ml (2 c. à soupe) de beurre de sésame, l'huile de sésame, le gingembre, 30 ml (2 c. à soupe) de tamari, le sel et la pâte de piments.
- Si le mélange est trop dense, ajouter un peu d'eau pour permettre la rotation de la lame du mélangeur.
- Verser dans le robot, ajouter la pâte de kamut et mélanger.
- Ajuster la saveur avec le sel, la pâte de piments forts et le beurre de sésame.
- Si le mélange est trop mou, mettre dans une passoire et laisser égoutter.
- Couvrir le fond d'un moule à muffins avec une pellicule plastique, en découpant des carrés d'une dizaine de centimètres.
- Remplir les moules avec les pâtés, rabattre les bords de la pellicule et tasser fermement à la main.
- Réfrigérer pendant 1 ou 2 heures.
- Démouler les pâtés et servir.

NOTE

Le fenouil, les tomates et l'oignon sont de bonnes sources de vitamine C. Celle-ci est probablement la vitamine qui intéresse le plus les spécialistes et la plus controversée. Tous s'entendent sur sa faculté de guérir plus rapidement un organisme déjà malade. Il y a une controverse par rapport au rôle préventif de la vitamine C. À haute dose, elle soulagerait les symptômes et favoriserait une guérison plus rapide.

SALADE DE CHOUCROUTE AUX CAROTTES

Donne 2 portions

Ingrédients

- 500 ml (2 tasses) de choucroute
- 250 ml (1 tasse) de carottes râpées
- 125 ml (1/2 tasse) de graines de sésame trempées pendant 2 heures, égouttées
- 45 ml (3 c. à soupe) de persil haché
- 125 ml (1/2 tasse) de luzerne

Sauce

- 2 tomates moyennes en dés
- 1 avocat pelé et dénoyauté
- 15 ml (1 c. à soupe) de jus de citron
- 15 ml (1 c. à soupe) de beurre de sésame
- 15 ml (1 c. à soupe) de coriandre moulue
- Sel de mer, au goût
- 45 ml (3 c. à soupe) de persil haché
- 2 ou 3 gousses d'ail

Préparation

- Mettre tous les ingrédients de la salade dans un saladier.
- Passer au mélangeur tous les ingrédients de la sauce.
- Verser la sauce sur la salade et mélanger délicatement.

NOTE

Les fibres alimentaires solubles que contiennent les choux pourraient protéger les diabétiques des fluctuations rapides du taux de sucre dans le sang. Ces fibres se transformeraient en une gelée gluante qui tapisserait les parois de l'intestin et ralentirait le passage du glucose dans le sang. Elles augmenteraient aussi la sensibilité des cellules à l'insuline. D'autre part, la vitamine C contenue dans les choux, le persil et les tomates ainsi que la vitamine E des avocats et du sésame sont de puissants antioxydants. Elles protègent la santé des yeux, du cœur, des nerfs, des reins et du système immunitaire, puisque l'évolution du diabète conduit à l'altération de ces organes.

SALADE DE CHOUX DE BRUXELLES AU BEURRE D'AMANDES

Donne 2 portions

Ingrédients
• 500 ml (2 tasses) de choux de Bruxelles
• 8 échalotes hachées
• 1 carotte, en fines rondelles
• 250 ml (1 tasse) de poivron rouge en dés
• 60 ml (1/4 tasse) de jus de citron
• 5 ml (1 c. à thé) de tamari ou de *Bragg's Liquid Aminos*
• 15 ml (1 c. à soupe) de beurre d'amandes
• 45 ml (3 c. à soupe) d'huile d'olive, première pression à froid
• Sel de mer, au goût

Préparation

- Parer les choux de Bruxelles et les couper en tranches de 2 mm (1/8 po) d'épaisseur. Les mettre dans un saladier avec les échalotes, la carotte et le poivron.
- Passer au mélangeur le jus de citron, le tamari, le beurre d'amandes et l'huile d'olive. Saler.
- Verser cette sauce sur les légumes et bien mélanger

....

187

SANTÉ
PRÉVENIR

**Recettes
santé**

NOTE

Comment cette salade peut-elle aider à prévenir le diabète? En plus de fournir des vitamines A, B et C, utiles pour prévenir le diabète ou équilibrer la glycémie, les choux de Bruxelles sont une bonne source de fibres. Celles-ci aident, entre autres, à stabiliser la glycémie en formant une barrière qui ralentit le passage du sucre dans le sang. (Le *Bragg's Liquid Aminos* est une sorte de sauce soya sans sel qu'on trouve dans les magasins d'alimentation naturelle.)

SALADE-REPAS D'ASPERGES AUX PETITS POIS

Donne 2 portions

Ingrédients
- 2 bottes d'asperges
- 3 tomates moyennes bien mûres
- 2 avocats
- 500 ml (2 tasses) de petits pois frais ou surgelés
- 1/2 oignon rouge haché
- 60 ml (1/4 tasse) de jus de citron
- 30 ml (2 c. à soupe) de moutarde de Dijon
- 5 ml (1 c. à thé) de thym frais, haché
- Sel de mer, au goût
- 60 ml (1/4 tasse d'huile) d'olive, première pression à froid

Préparation
- Nettoyer les asperges en enlevant la partie inférieure qui est dure et fibreuse. Tailler la partie supérieure en biseaux pour obtenir des bâtonnets de 2 cm (environ 1 po) de longueur.

- Couper les tomates et les avocats en petits dés à peine plus gros que les petits pois. Citronner les avocats pour éviter l'oxydation.
- Dans un bol, mélanger les légumes.
- Passer le jus de citron, la moutarde, le thym et le sel de mer au mélangeur. Rectifier l'assaisonnement au besoin.
- Ajouter l'huile d'olive et mélanger une deuxième fois.
- Arroser les légumes de cette sauce onctueuse, puis mélanger plusieurs fois afin d'harmoniser les arômes.

CANTUCCINI SUR LAIT DE COCO

Donne 2 portions

Ingrédients
- 125 ml (1/2 tasse) d'amandes entières concassées, préalablement trempées toute une nuit
- 125 ml (1/2 tasse) de graines de lin
- 125 ml (1/2 tasse) de noix de coco râpée non sucrée
- 500 ml (2 tasses) d'eau
- 60 ml (1/4 tasse) de miel non pasteurisé

Préparation
- Mettre tous les ingrédients, sauf le miel, dans un bol et laisser tremper 1 heure.
- Passer au tamis.
- Passer le tout au robot culinaire et ajouter le miel.
- Étendre le mélange dans un plat de 5 cm (2 po) de profondeur avec une spatule.
- Laisser sécher à température ambiante pendant toute une nuit ou jusqu'à consistance désirée.
- Couper en bâtonnets.

Ingrédients pour la sauce
- 250 ml (1 tasse) de lait de coco
- 250 ml (1 tasse) de melon au choix, en cubes
- Liquéfier le lait de coco et le melon au robot culinaire.
- Servir les cantuccini sur un «lit» de lait de coco au melon.

CARRÉS AUX NOIX ET AUX FRUITS SÉCHÉS

Donne 4 portions

Ingrédients
- 60 ml (1/4 tasse) de graines de lin trempées dans l'eau pendant 2 heures, puis égouttées
- 250 ml (1 tasse) de noisettes trempées dans l'eau pendant 8 heures, puis égouttées
- 250 ml (1 tasse) d'amandes trempées dans l'eau pendant 12 heures, puis égouttées
- 125 ml (1/2 tasse) de figues séchées, trempées dans l'eau pendant 8 heures, puis égouttées
- 180 ml (3/4 tasse) de dattes séchées, trempées dans l'eau pendant 8 heures, puis égouttées
- 125 ml (1/2 tasse) d'abricots secs, trempés dans l'eau pendant 8 heures, puis égouttés
- 500 ml (2 tasses) de flocons d'avoine

Préparation

- Passer les graines de lin et la moitié des noisettes et des amandes au robot, et hacher très finement.
- Passer l'autre moitié des noix au robot et hacher très grossièrement.
- Passer la moitié des fruits séchés au robot et hacher très finement. Hacher plus grossièrement l'autre moitié.
- Mélanger les deux préparations de noix et de fruits séchés ensemble, à la main.
- Ajouter assez de flocons d'avoine pour que le mélange soit plutôt ferme.
- Étendre sur une plaque à biscuits, et réfrigérer quelques heures.
- Découper en carrés et déguster.

> **NOTE**
>
> Le meilleur geste que vous puissiez faire pour vous-même serait d'ajouter des algues dans votre menu, comme supplément alimentaire. Cette simple habitude pourrait vous aider énormément à vous libérer de vos rages de sucre et de vos faims obsédantes.

....

191

SANTÉ
PRÉVENIR

**Recettes
santé**

TABOULÉ AU QUINOA GERMÉ ET À LA MENTHE POIVRÉE

Donne 2 portions

Ingrédients

- 500 ml (2 tasses) de feuilles de persil légèrement tassées
- 60 ml (1/4 tasse) de menthe poivrée, fraîchement hachée, ou 80 ml (1/3 tasse) de menthe poivrée séchée
- 60 ml (1/4 tasse) d'oignon rouge haché
- 60 ml (1/4 tasse) de tomate en petits dés
- 60 ml (1/4 tasse) de concombre en petits dés
- 125 ml (1/2 tasse) de quinoa trempé 8 heures, puis égoutté
- Sel de mer et poivre de Cayenne, au goût
- 30 ml (2 c. à soupe) de jus de citron
- 125 ml (1/2 tasse) d'huile d'olive, première pression à froid

Préparation
- Dans un saladier, mettre les feuilles de persil, la menthe hachée, l'oignon, la tomate, le concombre et le quinoa germé.
- Ajouter le sel et le poivre et rectifier l'assaisonnement, s'il y a lieu.
- Arroser de jus de citron et d'huile d'olive, et mélanger 2 ou 3 fois avant de servir.

> **NOTE**
> Le persil frais contient plus de fibres que les carottes, les choux et les navets, entre autres. Le taboulé était une salade de persil à l'origine. C'est devenu, avec le temps, une salade de couscous aromatisée au persil.

TARTELETTES DE NAPPA ET DE CONCOMBRE

Donne 4 portions

Ingrédients
- 1 petit nappa
- 30 ml (2 c. à soupe) d'huile de sésame
- 60 ml (4 c. à soupe) de tamari
- 15 ml (1 c. à soupe) de persil haché
- 2 concombres anglais

Préparation
- Émincer finement le nappa et mélanger avec l'huile, le tamari et le persil.
- Trancher le concombre finement sur la longueur.
- Étendre les tranches de concombre dans quatre tasses et remplir avec le nappa.
- Renverser les tasses et démouler.
- Servir.

POMMES FARCIES AUX NOISETTES ET AUX FIGUES

Donne 4 portions

Ingrédients
• 4 pommes Cortland ou autres
• Jus de citron
• 250 ml (1 tasse) de noisettes trempées 12 heures, puis égouttées
• 250 ml (1 tasse) de figues trempées 3 heures, puis égouttées
• 5 ml (1 c. à thé) de cannelle moulue
• 1 pincée de clous de girofle moulus
• Miel cru ou sirop d'érable, au goût
• 250 ml (1 tasse) de flocons de kamut
• 250 ml (1 tasse) de jus de pomme
• 250 ml (1 tasse) de fraises surgelées

Préparation
• Évider les pommes, les arroser de jus de citron et réserver la chair récupérée, elle aussi arrosée de jus de citron.

....

195

SANTÉ
PRÉVENIR

**Recettes
santé**

- Passer la moitié des noisettes et des figues au robot culinaire, et hacher le plus finement possible.
- Passer l'autre moitié au robot pour obtenir des noisettes et des figues grossièrement concassées.
- Ajouter la cannelle, le clou de girofle et le sirop d'érable au mélange le plus fin.
- Ajouter les flocons de kamut au mélange concassé, puis incorporer les 2 mélanges l'un à l'autre, délicatement, à la cuillère en bois.
- Farcir les pommes et les servir sur le coulis de fraises, fait avec le jus, la chair des pommes et les fraises encore surgelées.

NOTE

Voilà une bonne façon de se sucrer le bec sans se sentir coupable! Le truc de cuisine, ici, est d'utiliser des fruits surgelés, qui donnent une texture plus épaisse au coulis.

POTAGE AUX CAROTTES ET AU GINGEMBRE

Donne 4 portions

Ingrédients
- 500 ml (2 tasses) de carottes coupées en gros dés
- 160 ml (2/3 tasse) de courge musquée (Butternut) coupée en gros dés
- 125 ml (1/2 tasse) d'oignon rouge haché
- 125 ml (1/2 tasse) de gingembre frais, haché
- 3 gousses d'ail hachées
- Sel de mer et poivre de Cayenne, au goût
- 15 ml (1 c. à soupe) de cumin en poudre
- 80 ml (1/3 tasse) d'huile d'olive, première pression à froid
- 750 ml (3 tasses) d'eau de source ou de jus de légumes maison

Préparation
- Passer les carottes et la courge au robot culinaire, et hacher le plus finement possible.

- Verser dans un mélangeur, ajouter l'oignon, le gingembre, l'ail, le sel, le poivre de Cayenne, le cumin, l'huile d'olive et assez d'eau pour permettre le travail de l'appareil.
- Mélanger très finement.
- Rectifier l'assaisonnement avec le sel de mer, et le goût, avec l'huile d'olive.
- Ajouter suffisamment d'eau pour donner à la soupe la consistance voulue.
- Vérifier à nouveau l'assaisonnement et le goût.

....

197

SANTÉ
PRÉVENIR

Recettes
santé

NOTE

L'ail contient deux substances, l'allicine et l'alliine, capables de tuer certains microbes par simple contact. De plus, il stimule le système immunitaire, qui génère plus de cellules tueuses naturelles. Par ailleurs, des chercheurs japonais affirment que le gingembre aurait détruit, en laboratoire, le virus de l'influenza.

SUSHI AU MILLET ET AUX PLEUROTES

Donne 4 portions

Ingrédients
- 500 ml (2 tasses) de pleurotes tranchés en fines lanières
- 30 ml (2 c. à soupe) de vinaigre de riz
- 80 ml (1/3 tasse) d'échalotes hachées
- 2 gousses d'ail hachées
- 15 ml (1 c. à soupe) de gingembre frais, haché
- 60 ml (1/4 tasse) d'olives séchées, dénoyautées et hachées
- 60 ml (4 c. à soupe) d'huile d'olive, première pression à froid
- Sel de mer et poivre de Cayenne, au goût
- 250 ml (1 tasse) de tomates séchées, trempées 3 heures, puis égouttées
- 500 ml (2 tasses) de millet trempé 8 heures, puis égoutté
- 30 ml (2 c. à soupe) de sirop d'érable ou de miel, au goût• 4 feuilles d'algues Nori séchées

Préparation

- Faire mariner les pleurotes dans la moitié du vinaigre de riz, avec les échalotes, l'ail, le gingembre, les olives, l'huile d'olive et un peu de sel de mer.
- Passer les tomates au robot culinaire et hacher le plus finement possible.
- Dans un cul-de-poule, mélanger le millet, les tomates, le reste du vinaigre, le sirop, le sel de mer et le piment de Cayenne. Réserver.
- Étaler un peu de pâte de millet sur les 2/3 de l'algue Nori, ajouter une rangée de pleurotes aux olives et rouler fermement.
- Humecter le bord restant et sceller le sushi.
- Couper en tronçons et servir avec de la sauce piquante.

BOULETTES DE DATTES AU GINGEMBRE

Donne 2 portions

Ingrédients

Étape 1
- 8 dattes
- 4 figues séchées (enlever le pédoncule)
- 25 ml (5 c. à thé) de sirop d'agave ou de miel
- 1 goutte de vanille
- Jus de 1 citron fraîchement pressé

Étape 2
- 125 ml (1/2 tasse) de jus d'orange
- 125 ml (1/2 tasse) d'ananas, en petits cubes
- Jus de 1/2 citron fraîchement pressé
- 5 ml (1 c. à thé) de sirop d'agave ou de miel

Préparation

- Mettre tous les ingrédients de l'étape 1 dans le récipient du mélangeur et actionner l'appareil.
- Façonner 6 boulettes avec la pâte ainsi obtenue.
- Passer les ingrédients de l'étape 2 au mélangeur.
- Verser le jus ainsi obtenu dans 2 bols, puis déposer 3 boulettes dans chacun d'eux. Servir.

SALADE DE CAROTTES ET D'ARTICHAUTS

Donne 2 portions

Ingrédients
- 5 ml (1 c. à thé) de cumin fraîchement moulu
- Sel de mer, au goût
- 15 ml (1 c. à soupe) de moutarde de Dijon
- 60 ml (1/4 tasse) de jus de citron
- 2 gousses d'ail finement hachées
- 15 ml (1 c. à soupe) d'huile de lin, première pression à froid
- 45 ml (3 c. à soupe) d'huile d'olive, première pression à froid
- 250 ml (1 tasse) de carottes coupées finement en demi-rondelles
- 250 ml (1 tasse) de cœurs d'artichauts non marinés coupés en fines tranches
- 60 ml (1/4 tasse) d'échalotes coupées finement en biseau

Préparation

- Dans un mélangeur, mettre le cumin, le sel de mer, la moutarde, le jus de citron et l'ail haché.
- Ajouter les huiles de lin et d'olive. Bien mélanger.
- Verser cette sauce onctueuse sur les carottes, les artichauts et les échalotes.
- Mélanger 2 ou 3 fois avant de servir.

NOTE

Les artichauts seraient particulièrement bénéfiques aux personnes susceptibles d'avoir des troubles cardiovasculaires. Ils contiennent de la vitamine B3, qui facilite, entre autres, la dilatation des vaisseaux sanguins. Ils contiennent aussi de la vitamine B6, aussi appelée la vitamine des carnivores, car elle participe à la dégradation des protéines de la viande et des acides aminés qui en sont issus.

INDEX DES RECETTES

TABLE DES MATIÈRES

SECTION 3
LES BONS ET LES MAUVAIS ALIMENTS

SECTION 4
LES MALADIES, LES CARENCES, LES INTOXICATIONS

SECTION 5
DE SAINES HABITUDES À ADOPTER

SECTION 6
POUR LE BIEN-ÊTRE DE VOTRE ENFANT

SECTION 7
PETITS TRUCS MAISON ÉCOLOGIQUES

SECTION 8
RECETTES SANTÉ

Achevé d'imprimer au Canada par
Marquis Imprimeur Inc.